# 6

EXILE
AND
RETURN

# 돌아온 하나님의 백성

THE GOSPEL PROJECT®



**가스펠 프로젝트**

# 구약 6
# 돌아온 하나님의 백성

고학년 교사용

지은이 · LifeWay Kids
옮긴이 · 이선주
감수 · 김도일, 김병훈, 이희성

초판 발행 · 2018. 1. 15
등록번호 · 제1988-000080호
등록된 곳 · 서울특별시 용산구 서빙고로65길 38
발행처 · 사단법인 두란노서원
영업부 · 02) 2078-3352, 3452, 3752, 3781 FAX 080-749-3705
편집부 · 02) 2078-3437
표지디자인 · 더그램
활동연구 · 김찬숙, 박현진, 이경선, 이다솔, 한승우

책값은 뒤표지에 있습니다.
ISBN 978-89-531-3036-4 04230 / 978-89-531-2702-9 (세트)

**홈페이지** · gospelproject.co.kr / **두란노몰** · mall.duranno.com

# 차례

# 이렇게 활용해 보세요!

## ① 단원 개요 • 각 과의 목표

- '가스펠 프로젝트'(하나님의 구원 계획)의 연대기적 큰 흐름 속에서 각 단원과 각 과의 주제를 살펴봅니다.

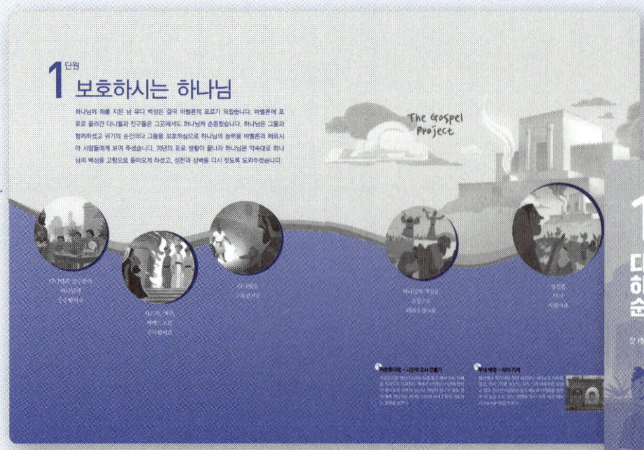

DVD **카운트다운** 단원별로 제공되는 3분 카운트다운 영상(지도자용 팩)으로, 장소를 옮기거나 시간을 구분 짓는 방법으로 활용할 수 있습니다.

DVD **무대 배경** 단원별 설교의 도입(들어가기)에서 공통적으로 활용할 수 있는 무대 데코 아이디어로, 배경 이미지(지도자용 팩)를 화면에 띄워 사용할 수 있습니다.

**단원 암송** 단원의 핵심 메시지가 담긴 성경 구절입니다.

**성경의 초점** 본문과 관련된 성경의 중심 주제(핵심 교리)를 문답의 형식으로 정리한 문장입니다. 단원의 성경의 초점을 익히며 성경의 흐름을 이해하게 합니다.

**주제** 각 과의 핵심 줄거리를 파악할 수 있습니다.

**가스펠 링크** 성경 이야기에 담긴 복음을 발견하게 합니다. 모든 성경 이야기는 그리스도와 연결됩니다.

**본문 속으로** 각 과를 준비하며 묵상할 내용과 티칭 포인트를 제시합니다. 청장년용 《가스펠 프로젝트》로 교사 소그룹 모임에서 더 깊은 묵상을 나누며 성경 읽기를 병행할 것을 권유합니다. 부모 소그룹 모임은 교회와 가정을 연계해 교육 효과를 더욱 높여 줄 것입니다.

**교사 지도 가이드 영상** 교사들이 각 과의 내용과 아이들에게 전달해야 할 핵심을 쉽게 파악할 수 있도록 짧은 예시와 함께 개요를 소개하고 교사를 독려합니다. 홈페이지(gospelproject.co.kr)에서 무료로 활용할 수 있습니다.

## 말씀 묵상 ②

- 말씀을 묵상하며 어떻게 가르칠 것인가를 기도로 준비합니다.

DVD **이야기 성경** '가스펠 설교'에서 사용하는 구어체 설교입니다. 같은 내용의 영상이 지도자용 팩에 있습니다.

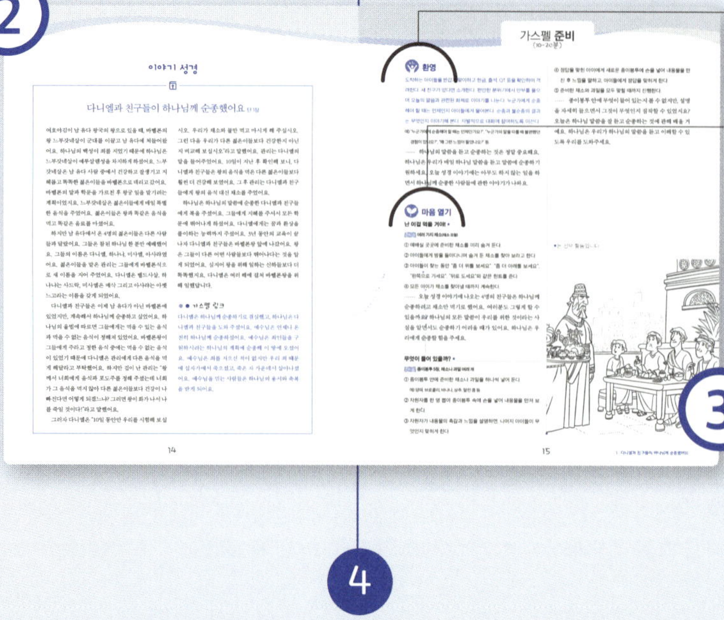


**환영** 아이들을 맞이하며 나눌 수 있는 대화의 소재를 제안합니다.

**마음 열기** 이 과의 주제와 연결된 간단한 게임 활동을 소개합니다.

## ③ 가스펠 준비

- 사전 활동을 살펴봅니다.

## ④ 가스펠 설교

● **도입 - 전개 - 가스펠 링크 - 복음 초청 - 적용**에 이르는 설교 가이드입니다.

**들어가기** 도입 아이디어를 소개합니다.

**적용** 에피소드를 담은 영상과 질문이 담겨 있습니다. 설교 도입이나 적용 부분에서 활용하거나 영상을 본 뒤 소그룹에서 풍성한 대화를 이어가는 방법도 추천합니다.

**복음 초청** 매주 복음을 전하고 영접 기도를 이끌 수 있는 초청 대화를 담았습니다.

**찬양** 단원 주제를 담은 찬양, 악보, 율동을 지도자용 팩, 가스펠 프로젝트 홈페이지에서 만날 수 있습니다.

**연대표** 가스펠 프로젝트(하나님의 구원 계획)의 큰 흐름 속에서 각 과의 위치를 파악해 봅니다.

## 가스펠 소그룹 ⑤

● 예배 후 소그룹 모임에서 배운 내용을 되새길 수 있는 다양한 활동을 소개합니다.

**보물 상자** 성경의 메시지와 내 삶을 연결해 보고, 하나님과 일대일 대화를 나누듯 마음을 고백하는 마무리 활동입니다.

**나침반** 재미있는 게임 활동으로 단원 암송을 익히게 합니다. 부록의 단원 암송 자료와 지도자용 팩의 파일을 활용할 수 있습니다.

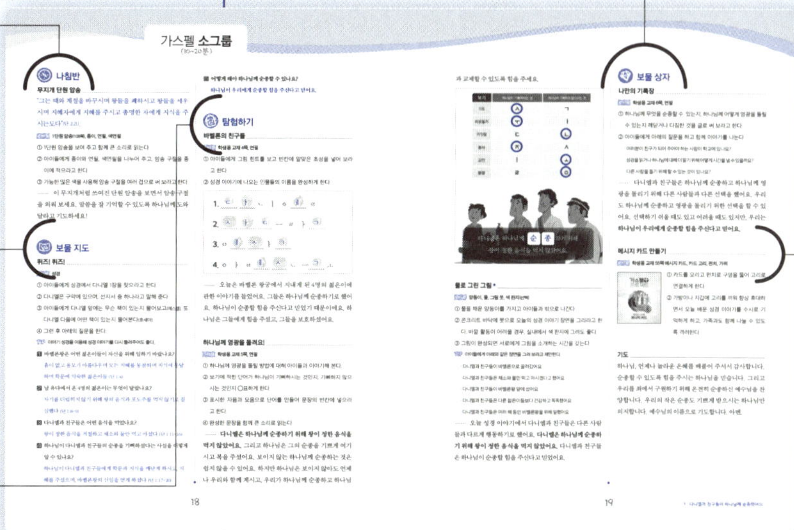

**보물 지도** 퀴즈와 게임을 통해 성경 이야기를 복습하는 활동입니다.

**탐험하기** 성경 이야기의 의미를 묵상하며 주제, 가스펠 링크, 성경의 초점 등을 되새기는 확장 활동입니다.

**메시지 카드** 각 과의 핵심 내용과 가족과 함께하는 활동을 담았습니다.

＊지도자용 팩의 PC 전용 DVD-Rom에 영상, 그림, 음원, 악보, PPT 등의 자료가 있습니다.

● 2017년 3월 28일에 고시된 「외래어 표기법」 일부 개정안에 따라 외래어 뒤에 쓰인 산, 강, 왕 등의 일반 명사는 붙여 쓰는 것으로 표기하였습니다.

# 발간사

두란노서원을 통해 라이프웨이(LifeWay)의《가스펠 프로젝트》성경 공부 교재 시리즈를 발간할 수 있도록 인도하신 하나님께 감사드립니다. 험한 소리로 가득한 세상에 이 책을 다릿돌처럼 놓습니다. 우리 삶은 말씀을 만난 소리로 풍성해져야 합니다. 주님을 만난 기쁨의 소리, 진실 앞에서 탄식하는 소리, 죄를 씻는 울음소리, 소망을 품은 기도 소리로 가득해야 합니다.

《가스펠 프로젝트》는 신구약을 관통하는 예수 그리스도의 복음을 발견하고, 그 가르침을 삶에 적용하는 지혜를 얻도록 기획한 성경 공부 교재입니다. 어린아이부터 어른에 이르기까지 생애 주기에 따른 복음 메시지를 잘 배울 수 있습니다. 또한, 거짓 진리가 미혹하는 이 시대에 건강한 신학과 바른 교리로 말씀을 조명하여 성도의 신앙이 좌로나 우로나 치우치지 않도록 돕습니다.

두란노서원은 지금까지 "오직 성경, 복음 중심, 초교파적 관점"을 바탕으로 한국 교회와 성도를 꾸준히 섬겨 왔습니다. 오직 성경의 정신에 입각해 책과 잡지를 출판해 왔으며, 성경에 근거한 복음 중심의 신학을 포기한 적이 없습니다. 그리고 교단과 교파를 초월하여 교회와 성도가 하나님 나라를 바라볼 수 있도록 돕기 위해 노력해 왔습니다.《가스펠 프로젝트》는 두란노가 지켜 온 세 가지 가치를 충실하게 담은 책입니다.

성경은 구원을 위한 책이며, 구원사의 주인공은 예수 그리스도입니다. 창세기부터 요한계시록까지 오직 예수 그리스도의 복음만을 전하는《가스펠 프로젝트》성경 공부 교재를 통해 복음의 은혜와 진리를 깊이 경험하고, 복음 중심의 삶이 마음 판에 새겨지기를 바랍니다. 그리고 예수 그리스도 복음에 굳게 선 한 사람의 영향력이 가정과 교회와 사회에 흘러감으로써 거룩한 하나님 나라가 확산되어 가기를 소망합니다.

두란노서원 원장 이 형 기

# 감수사

《가스펠 프로젝트》는 어린이와 청소년 성경 공부를 위한 좋은 교재입니다. 그들이 이해할 수 있는 언어로 성경을 자세히 알 수 있도록 도와주고 있기 때문입니다. 어린이와 청소년의 발달심리에 익숙한 전문가들을 포함해 많은 사람이 참여해 애쓴 흔적이 보입니다.

《가스펠 프로젝트》는 인류를 향한 하나님의 구원 계획인 복음을 다음과 같은 과정으로 설명합니다. "첫째, 하나님은 다스리신다. 둘째, 우리는 죄를 범했다. 셋째, 그러나 하나님은 공급하신다. 넷째, 하나님의 아들 예수 그리스도께서는 우리에게 영생을 주시고 우리를 초청하신다. 다섯째, 우리는 예수님의 초청에 응답해야 한다." 이와 같이 《가스펠 프로젝트》는 복음을 주시는 하나님의 계획에 사람이 어떻게 반응해야 하는지를 간단하게, 그리고 핵심을 놓치지 않고 잘 설명합니다. 그러므로 《가스펠 프로젝트》에 참여하는 교사와 학생은 하나님의 주권과 언약, 신실하심과 사랑을 배우고 깊이 느낄 수 있을 것입니다. 성령의 인도하심에 순종하는 것이 얼마나 복된지 몸소 체험할 수 있을 것입니다.

그때, 그곳에서, 그들에게 주어졌던 하나님의 말씀을 지금, 여기에서, 우리에게 주어지는 하나님의 말씀으로 받아들이고 해석하려면 해석학적 간격(hermeneutical gap)이 존재한다는 점을 유념하고, 말씀을 적절하게 해석해 적용해야 합니다. 하나님의 말씀은 성령의 조명을 받아 학문이 없는 사람도 그 핵심적인 메시지를 이해할 수 있지만, 모든 성경을 자의적으로 해석하는 우를 범해서는 안 됩니다. 《가스펠 프로젝트》는 이러한 해석상의 오류를 최소한도로 줄여줄 수 있다고 봅니다. 가능하면 말씀에 담긴 메시지를 전달하려고 노력했기 때문입니다. 이런 점에서 《가스펠 프로젝트》는 하나님의 마음을 더 깊이 이해하기 위한 기본적인 성경 지식을 제공해 주고, 말씀의 깊은 샘으로 들어가 맛있는 물을 마실 수 있도록 돕는 좋은 통로입니다.

《가스펠 프로젝트》로 성경을 공부하게 되면 성경 말씀을 사랑하게 될 것입니다. 어린이들과 청소년들도 '말씀이 참 재미있고 유익하구나'라고 느끼게 될 것입니다. 레너드 스윗이 말한 것처럼, 미래 세대는 경험적, 참여적, 이미지 중심적, 연결적(EPIC) 사역을 통해 말씀 속으로 자발적으로 들어와야 거룩한 하나님의 백성이 될 수 있기 때문입니다.

모쪼록 《가스펠 프로젝트》를 통해 모든 세대가 하나님을 더 넓고 깊게 알아 가며, 성령의 도우심 가운데 예수님의 튼실한 제자로 성장하기를 원합니다. 아울러 세상 속에서 하나님 나라를 확장시켜 나가는 하나님의 백성이 되는 기초를 체계적으로 다질 수 있기를 바랍니다. 《가스펠 프로젝트》는 오직 믿음, 오직 성경, 오직 은혜, 오직 그리스도를 통해 하나님께 영광 돌리는 데 큰 도움이 될 것입니다.

**김도일** _ 장로회신학대학교, 기독교교육학 교수

《가스펠 프로젝트》는 무엇보다도 전통적으로 교회가 풀어 온 흐름을 충실히 따라 성경을 해설하고 있습니다. 그리고 그 방향은 궁극적으로 예수 그리스도를 향해 나아가고 있습니다. 이것은 예수님이 구약과 신약의 모든 성경이 자신을 가리키고 있다고 하신 말씀에 비추어 매우 타당한 것입니다. 게다가 그리스도 중심적 해설을 무리하게 전개하지 않습니다. 각 본문에서 하나님의 구원 언약과 그것을 실현하시는 하나님을 드러내면서, 그리스도의 예표적 설명이 가능한 사건을 놓치지 않고 풀어내고 있습니다.

성경 공부 교재는 명시적으로 혹은 암시적으로 제시하

는 교리적 진술이 교리 체계상 건전해야 합니다. 《가스펠 프로젝트》는 99개 조에 이르는 핵심 교리들을 일목요연하게 제시하여 교리의 건전성을 확인할 수 있도록 도움을 줍니다. 《가스펠 프로젝트》의 교리는 교파를 막론하고, 예수 그리스도의 복음에 충실한 복음주의 교회들에게 환영받을 만합니다. 물론 교파마다 약간의 이견을 갖는 부분들이 있을 수 있겠지만, 각 교회에서 교재를 활용하는 데에 무리가 없을 것입니다. 《가스펠 프로젝트》의 특징은 각 과에서 학습한 내용을 핵심 교리와 연결해 주며, 그 결과 그리스도의 복음에 관련한 교리적 이해를 강화시킨다는 데에 있습니다.

끝으로 《가스펠 프로젝트》는 어떤 성경 주해서나 교리 학습서가 갖지 못하는 훌륭한 장점을 가지고 있습니다. 그것은 학습자를 하나님과 그리스도의 복음 앞으로 이끌며, 자신의 신앙과 삶을 돌아보도록 하는 적용의 적실성과 훈련의 효과입니다. 아울러 본문과 관련한 교회사적으로 또 주석적으로 중요한 신학자와 목사의 어록을 제시하고, 심화 토론을 위한 질문을 달아 주고, 선교적 안목을 열어 주는 적용 질문들을 더해 준 것은 《가스펠 프로젝트》에서 얻을 수 있는 커다란 유익입니다.

추천할 만한 마땅한 성경 공부 교재를 찾기가 쉽지 않은 현실에서 《가스펠 프로젝트》는 성경을 개괄적으로 매주 한 과씩 3년의 기간 동안 일목요연하게, 그리고 그리스도 중심적으로 공부하도록 이끌어 준다는 점에서, 한국 교회의 기초를 성경 위에 놓는 일에 커다란 공헌을 할 것으로 믿어 의심치 않습니다.

**김병훈** _ 합동신학대학원대학교 조직신학 교수

"보라 날이 이를지라 내가 기근을 땅에 보내리니 양식이 없어 주림이 아니며 물이 없어 갈함이 아니요 여호와의 말씀을 듣지 못한 기갈이라"(암 8:11). 주전 8세기 아모스 선지자의 외침이 오늘 이 시대에 다시 메아리쳐 오고 있습니다. 두란노의 《가스펠 프로젝트》는 성도들이 겪고 있는 영적인 갈증과 혼란을 해소해 줄 수 있는 유익한 성경 공부 교재입니다.

첫째, 《가스펠 프로젝트》는 성경 전체 흐름과 문맥에 따라 구성되어 성경의 큰 그림을 볼 수 있도록 도와줍니다. 또 성경 각 본문의 의미를 깊이 이해할 수 있도록 해당 분야의 전문 성경 신학자들의 주석적 견해를 잘 소개하고 있습니다. 둘째, 본문 연구와 함께 관련 핵심 교리들을 적절하게 소개하여 성경과 교리를 연결할 수 있습니다. 또 모든 과에서 그리스도와의 연결점을 찾아 제시함으로써 구약 본문을 통해서도 복음을 깨달을 수 있습니다. 성경 공부 전 과정을 마치면 성도들이 복음에 대한 견고한 믿음을 가지게 될 것입니다. 셋째, 성경 공부 적용의 초점을 선교에 맞추어 성도들이 삶의 현장에서 복음의 증인으로서의 사명을 감당할 수 있게 도와줍니다. 마지막으로 주일학교에서 장년에 이르기까지 동일한 주제와 본문으로 성경을 공부하도록 구성하였기 때문에 모든 교인이 한 말씀 안에서 한 믿음의 공동체를 이루며 성숙해 가는 영적 부흥을 경험하게 될 것입니다.

두란노의 《가스펠 프로젝트》를 통해 말씀이 갈급한 기근의 시대에 영적 해갈의 기쁨을 경험하시기 바랍니다.

**이희성** _ 총신대학교 신학대학원 구약학 교수

# 추천사

우리를 향한 하나님의 멈추지 않는 사랑, 아들을 내어 주신 아버지 하나님의 놀라운 구원 계획에 눈뜨게 하는 교재입니다. 성경을 꿰뚫는 변함없는 메시지, 예수 그리스도를 만날 수 있는 교재입니다. 유익한 활동과 흥미로운 반복 학습을 통해 기독교 핵심 주제를 접하고, 말씀을 가까이하며, 가족과 묵상을 나누도록 이끄는 방식에 기대가 큽니다. 다양한 소재의 영상과 그림 자료는 시청각 자료가 부족한 교육 현장에 큰 활력을 불어넣어 줄 것입니다. 교재 내용에 맞게 창작된 찬양은 곡조가 있는 산 기도를 체험하게 도와줄 것입니다. 무미건조한 습관적 예배, 아이들과 소통하지 못해 안타까워했던 부모와 교사, 다음 세대를 걱정하는 교회 지도자들에게 이 교재를 추천합니다.

**김요셉** _ 중앙기독학교 교목, 원천침례교회 목사

우리 시대의 전 세계적 교회 부흥은 두 가지 샘을 갖고 있습니다. 한 샘은 오순절 부흥 운동의 샘입니다. 이 샘으로 많은 시대의 목마른 영혼들이 목마름을 해갈했습니다. 또 하나의 샘은 성경 연구의 샘입니다. 남침례교 주일학교 운동은 이 샘의 개척자입니다. 이 샘으로 지금도 많은 성도가 목마름을 해갈하고 있습니다. 미국 남침례교 라이프웨이 출판사는 성경 연구를 돕는 사역을 충실히 감당해 왔습니다. 《가스펠 프로젝트》는 목마른 영혼들의 필요를 공급하는 원천이 될 것입니다. 《가스펠 프로젝트》는 쉬우면서도 결코 피상적이지 않습니다. 믿음의 단계를 따라 하나님의 자녀들에게 꼭 필요한 복음의 진수를 맛보게 해 줄 것입니다.

**이동원** _ 지구촌교회 원로 목사, 지구촌 미니스트리 네트워크 대표

성경을 공부한다는 것은 성경에 기록된 사실을 배우는 것이 아니라 성경이 가르치는 교리를 배우는 것입니다. 왜냐하면 성경은 독자에게 어떤 새로운 정보를 주기 위해 인간이 쓴 책이 아니라 죄인인 인간에게 구원을 주기 위해 하나님이 쓰신 말씀이기 때문입니다. 그런데 이 구원의 도리인 교리를 성경 본문을 통해 배우기가 쉽지 않기 때문에 좋은 안내서가 필요합니다. 이번에 출간된 《가스펠 프로젝트》는 이와 같은 역할을 탁월하게 수행하고 있기 때문에 기쁜 마음으로 추천합니다.

**이성호** _ 고려신학대학원 역사신학 교수

성경은 예수 그리스도를 중심으로 하는 하나님의 구원 이야기입니다. 《가스펠 프로젝트》는 성경이 어떻게 그리스도와 연결되어 있는지, 또 성도의 삶이 하나님의 구원 계획에 어떻게 연결되어야 하는지를 구체적으로 제시합니다. 특히 《가스펠 프로젝트》는 하나의 본문으로 각 연령에 맞게 구성한 교재를 제공해 하나의 본문으로 전 세대를 연결하고, 가정과 교회를 하나 되게 합니다. 신앙의 전수가 중요한 시대에 성도와 교회와 가정이 한마음으로 다음 세대를 준비시키기에 적합합니다. 특히 가정에서 부모가 자녀와 말씀으로 대화를 나눌 수 있게 해 자녀의 신앙 교육에 도움이 될 것입니다.

**이재훈** _ 온누리교회 담임 목사

교회학교가 어렵다는 말이 많이 들립니다. 아이들이 교회에 다녀 주고 있습니다. 이는 자기 신앙으로 교회를 다니는 것이 아니라 부모의 눈치를 보며 다녀 주고 있다는 말입니다. 이 문제를 해결하려면 자기 신앙을 만들어 주어야 합니다. 자기 신앙은 하나님과 예수님, 죄 등에 대해 스스로 고민하고, 생각하고, 판단하고, 결정하는 과정이 있어야 생깁니다. 이런 시점에 어린이 눈높이에 맞추어 게임과 퀴즈 등으로 복음 메시지를 심어 주는 교재가 출간되어 반갑습니다. 충분한 대화와 토론을 통해 아이가 스스로 신앙에 대해 고민해서 주님의 은혜 안에 성숙해 가는 일이 많아지기를 기대합니다.

**전성수** _ 부천대학교 유아교육과 교수, 하브루타교육협회 회장

# 1 단원
# 보호하시는 하나님

하나님께 죄를 지은 남 유다 백성은 결국 바벨론의 포로가 되었습니다. 바벨론에 포로로 끌려간 다니엘과 친구들은 그곳에서도 하나님께 순종했습니다. 하나님은 그들과 함께 하셨고 위기의 순간마다 그들을 보호하심으로 하나님의 능력을 바벨론과 페르시아 사람들에게 보여 주셨습니다. 70년의 포로 생활이 끝나자 하나님은 약속대로 하나님의 백성을 고향으로 돌아오게 하셨고, 성전과 성벽을 다시 짓도록 도와주셨습니다.

다니엘과 친구들이
하나님께
순종했어요

사드락, 메삭,
아벳느고를
구하셨어요

다니엘을
구하셨어요

하나님의 백성을
고향으로
데려오셨어요

성전을
다시
지었어요

### DVD 카운트다운 – 나만의 도시 만들기

카운트다운 영상(지도자용 팩)을 틀고 예배 준비 자세를 취하도록 격려한다. 예배가 시작되는 시간에 영상이 끝나도록 맞추어 놓는다. 영상이 끝나기 30초 전에 예배 인도자는 정해진 위치에 서서 조용히 기도하는 모범을 보인다.

### DVD 무대 배경 – 피자 가게

빨간색과 하얀색이 섞인 체크무늬 식탁보로 탁자를 덮고, 의자 2개를 놓는다. 피자 가게 내부처럼 보일 수 있게 간단한 이탈리아 음식 메뉴와 가격표를 칠판에 써 놓을 수도 있다. 화면에 '피자 가게' 배경 이미지(지도자용 팩)를 띄운다.

# 1

# 다니엘과 친구들이 하나님께 순종했어요

단 1장

**단원 암송**

그는 때와 계절을 바꾸시며
왕들을 폐하시고 왕들을 세우시며
지혜자에게 지혜를 주시고
총명한 자에게 지식을 주시는도다
(단 2:21).

**성경의 초점**

어떻게 해야 하나님께 순종할 수 있나요?
하나님이 우리에게 순종할 힘을 주신다고 믿어요.

## 본문 속으로

하나님의 백성은 경고를 받았습니다. 선지자들이 와서 "죄에서 벗어나 하나님께로 돌아가라!"라고 하나님의 말씀을 전했지만, 사람들은 듣지 않았습니다. 남 유다 왕국은 우상숭배에 빠져들었고, 왕들은 하나님 보시기에 악한 일들을 행했습니다. 결국, 하나님은 경고하신 대로 하나님의 백성을 그들의 땅에서 추방하셨습니다.

강대국인 바벨론의 왕 느부갓네살은 남 유다 왕국의 수도 예루살렘을 정복한 후 하나님의 백성을 바벨론으로 끌고 갔습니다. 이때 다니엘은 유다의 젊은이였습니다. 아마도 그는 이사야 선지자의 경고에 관해 들었을 것입니다. 그리고 예언이 이루어지는 현장을 목격했습니다(사 39:5~7 참조).

느부갓네살은 유다에서 가장 뛰어난 젊은이들을 바벨론으로 데려와 왕궁에서 일하도록 훈련시켰습니다. 이 젊은이 중에 다니엘과 3명의 친구들이 있었습니다. 선택된 젊은이들은 새 이름, 새 교육, 새 문화를 통해 새로운 신분을 받았습니다. 하지만 새로운 환경에서도 다니엘과 하나냐, 미사엘, 아사랴는 계속해서 참된 하나님 한 분에게만 충성했고, 자신을 더럽히지 않기 위해 바벨론 왕의 음식을 먹지 않기로 결심했습니다.

하나님은 다니엘과 친구들을 축복하셨습니다. 하나님께 순종한 다니엘은 느부갓네살의 신임을 얻었고, 그의 삶은 하나님이 세상 만물을 다스리신다는 증거가 되었습니다. 하나님은 포로 생활을 하는 하나님의 백성을 기억하셨고, 그들을 고향으로 데려와 새 왕국을 세우겠다고 약속하셨습니다.

### ●● 티칭 포인트

아이들에게 다니엘의 이야기를 들려주면서, 순종하기가 쉽지 않을 때도 순종할 힘을 주시는 하나님을 믿어야 한다고 설명해 주십시오. 다니엘보다 600년 후에 등장하신 예수님은 하나님께 완전하게 순종하신 약속된 분이었다는 사실도 말해 주십시오. 언젠가는 예수님이 영원한 왕국을 세우기 위해 돌아오신다는 것을 우리는 믿을 수 있습니다.

**주 제**

다니엘은 하나님께 순종하기 위해 왕이 정한 음식을 먹지 않았어요.

**가스펠 링크**

다니엘은 하나님께 순종하기로 결심했고, 하나님은 다니엘과 친구들을 도와주셨어요. 예수님은 언제나 온전히 하나님께 순종하셨어요.

## 다니엘과 친구들이 하나님께 순종했어요 단 1장

여호야김이 남 유다 왕국의 왕으로 있을 때, 바벨론의 왕 느부갓네살이 군대를 이끌고 남 유다에 쳐들어왔어요. 하나님의 백성이 죄를 지었기 때문에 하나님은 느부갓네살이 예루살렘성을 차지하게 하셨어요. 느부갓네살은 남 유다 사람 중에서 건강하고 잘생기고 지혜롭고 똑똑한 젊은이들을 바벨론으로 데리고 갔어요. 바벨론의 말과 학문을 가르친 후 왕궁 일을 맡기려는 계획이었지요. 느부갓네살은 젊은이들에게 매일 특별한 음식을 주었어요. 젊은이들은 왕과 똑같은 음식을 먹고 똑같은 음료를 마셨어요.

하지만 남 유다에서 온 4명의 젊은이들은 다른 사람들과 달랐어요. 그들은 참된 하나님 한 분만 예배했어요. 그들의 이름은 다니엘, 하나냐, 미사엘, 아사랴였어요. 젊은이들을 맡은 관리는 그들에게 바벨론식으로 새 이름을 지어 주었어요. 다니엘은 벨드사살, 하나냐는 사드락, 미사엘은 메삭 그리고 아사랴는 아벳느고라는 이름을 갖게 되었어요.

다니엘과 친구들은 이제 남 유다가 아닌 바벨론에 있었지만, 계속해서 하나님께 순종하고 싶었어요. 하나님의 율법에 따르면 그들에게는 먹을 수 있는 음식과 먹을 수 없는 음식이 정해져 있었어요. 바벨론 왕이 그들에게 주라고 정한 음식 중에는 먹을 수 없는 음식이 있었기 때문에 다니엘은 관리에게 다른 음식을 먹게 해달라고 부탁했어요. 하지만 겁이 난 관리는 "왕께서 너희에게 음식과 포도주를 정해 주셨는데 너희가 그 음식을 먹지 않아 다른 젊은이들보다 건강이 나빠진다면 어떻게 되겠느냐? 그러면 왕이 화가 나서 나를 죽일 것이다!"라고 말했어요.

그러자 다니엘은 "10일 동안만 우리를 시험해 보십시오. 우리가 채소와 물만 먹고 마시게 해 주십시오. 그런 다음 우리가 다른 젊은이들보다 건강한지 아닌지 비교해 보십시오"라고 말했어요. 관리는 다니엘의 말을 들어주었어요. 10일이 지난 후 확인해 보니, 다니엘과 친구들은 왕의 음식을 먹은 다른 젊은이들보다 훨씬 더 건강해 보였어요. 그 후 관리는 다니엘과 친구들에게 왕의 음식 대신 채소를 주었어요.

하나님은 하나님의 말씀에 순종한 다니엘과 친구들에게 복을 주셨어요. 그들에게 지혜를 주셔서 모든 학문에 뛰어나게 하셨어요. 다니엘에게는 꿈과 환상을 풀이하는 능력까지 주셨어요. 3년 동안의 교육이 끝나자 다니엘과 친구들은 바벨론 왕 앞에 나갔어요. 왕은 그들이 다른 어떤 사람들보다 뛰어나다는 것을 알게 되었어요. 심지어 왕을 위해 일하는 신하들보다 더 똑똑했지요. 다니엘은 여러 해에 걸쳐 바벨론 왕을 위해 일했답니다.

### 가스펠 링크

다니엘은 하나님께 순종하기로 결심했고, 하나님은 다니엘과 친구들을 도와주셨어요. 예수님은 언제나 온전히 하나님께 순종하셨어요. 예수님은 죄인들을 구원하시려는 하나님의 계획에 순종해 이 땅에 오셨어요. 예수님은 죄를 지으신 적이 없지만 우리 죄 때문에 십자가에서 죽으셨고, 죽은 자 가운데서 살아나셨어요. 예수님을 믿는 사람들은 하나님의 용서와 축복을 받게 되어요.

# 가스펠 준비
(10~20분)

## 환영

도착하는 아이들을 반갑게 맞이하고 헌금, 출석, QT 등을 확인하며 격려한다. 새 친구가 있다면 소개한다. 편안한 분위기에서 안부를 물으며 오늘의 말씀과 관련된 화제로 이야기를 나눈다. 누군가에게 순종해야 할 때는 언제인지 아이들에게 물어본다. 순종과 불순종의 결과는 무엇인지 이야기해 본다. 자발적으로 대화에 참여하도록 이끈다.

예) "누군가에게 순종해야 할 때는 언제인가요?", "누군가의 말을 따를 때 불편했던 경험이 있나요?", "왜 그런 느낌이 들었나요?" 등.

— 하나님의 말씀을 듣고 순종하는 것은 정말 중요해요. 하나님은 우리가 매일 하나님 말씀을 듣고 말씀에 순종하기 원하세요. 오늘 성경 이야기에는 아무도 하지 않는 일을 하면서 하나님께 순종한 사람들에 관한 이야기가 나와요.

## 마음 열기

### 난 이걸 먹을 거야! *

준비물 여러 가지 채소(채소 모형)

① 예배실 곳곳에 준비한 채소를 미리 숨겨 둔다.

② 아이들에게 방을 돌아다니며 숨겨 둔 채소를 찾아 보라고 한다.

③ 아이들이 찾는 동안 "좀 더 위를 보세요", "좀 더 아래를 보세요", "왼쪽으로 가세요", "뒤로 도세요"와 같은 힌트를 준다.

④ 모든 아이가 채소를 찾아낼 때까지 계속한다.

— 오늘 성경 이야기에 나오는 4명의 친구들은 하나님께 순종하려고 채소만 먹기로 했어요. 여러분도 그렇게 할 수 있을까요? 하나님의 모든 말씀이 우리를 위한 것이라는 사실을 알면서도 순종하기 어려울 때가 있어요. 하나님은 우리에게 순종할 힘을 주세요.

### 무엇이 들어 있을까? *

준비물 종이봉투 5장, 채소나 과일 여러 개

① 종이봉투 안에 준비한 채소나 과일을 하나씩 넣어 둔다.

예) 양파, 브로콜리, 바나나, 상추, 말린 콩 등.

② 자원자를 한 명 뽑아 종이봉투 속에 손을 넣어 내용물을 만져 보게 한다.

③ 자원자가 내용물의 촉감과 느낌을 설명하면, 나머지 아이들이 무엇인지 맞히게 한다.

④ 정답을 맞힌 아이에게 새로운 종이봉투에 손을 넣어 내용물을 만진 후 느낌을 말하고, 아이들에게 정답을 맞히게 한다.

⑤ 준비한 채소와 과일을 모두 맞힐 때까지 진행한다.

— 종이봉투 안에 무엇이 들어 있는지 볼 수 없지만, 설명을 자세히 들으면서 그것이 무엇인지 짐작할 수 있었지요? 오늘은 하나님 말씀을 잘 듣고 순종하는 것에 관해 배울 거예요. 하나님은 우리가 하나님의 말씀을 듣고 이해할 수 있도록 우리를 도와주세요.

*는 선택 활동입니다.

## 들어가기

준비물 요리사 복장(앞치마, 요리사 모자), 피자 박스, 오븐 장갑

요리사 복장을 하고 피자 박스와 오븐 장갑을 들고 들어온다.

안녕하세요, 여러분! '미스터 로니 피자'에 오신 것을 환영해요! 내 이름은 ○○○ 이에요. 여러분이 우리 가게를 찾아 주어서 정말 기뻐요!

이곳은 우리 가족이 오랫동안 운영해 온 식당이에요. 할머니가 물려주신 요리 비법으로 맛있는 음식을 만든답니다. 저는 할머니의 비법 요리 중 떡이 들어간 마카로니와 치즈를 엄청나게 좋아하고, 사촌 영삼이는 스파게티를 정말 좋아해요. 하지만 우리 가게에서 제일 유명한 음식은 맛있는 피자예요. 전통 요리법으로 만들어서 정말 맛있지요. 한마디로, 단골손님을 만드는 진짜 믿을 만한 음식이에요.

우리 피자가 이토록 유명해진 이유는 할머니의 특별한 소스 때문이에요. 소스에 어떤 재료가 들어가는지는 비밀이에요! 처음 우리 가게 요리사들에게 소스 만드는 방법을 알려 주자 저를 이상하게 쳐다보더라고요. "그냥 나를 믿어 봐!" 라고 계속 안심시켜야 했지요. 제 말을 듣고 시키는 대로 만들자 드디어 세상에서 가장 맛있는 소스가 만들어졌어요!

하나님과 우리의 관계도 비슷해요. 그렇지 않나요? 이해할 수 없거나 두려움이 가득할 때, 하나님께 순종하기 어려워지기도 해요. 하지만 하나님은 언제나 신실하시고, 지혜로우시며, 이 세상을 다스리시지요. 우리는 순종할 힘을 주시는 하나님을 믿을 수 있어요.

앞으로 몇 주 동안 우리는 끔찍하고 힘든 일을 당하거나 혹은 흔치 않은 상황에 놓인 사람들의 이야기를 들을 거예요. 이 성경 이야기들을 통해 그들이 어떻게 하나님을 믿고 순종했는지 배워 보도록 해요.

## 연대표

DVD '어린이를 위한 가스펠 프로젝트_하나님의 구원 계획' 영상(지도자용 팩)을 보여 주고 오늘의 성경 이야기도 하나님의 거대한 구원 계획의 한 부분에 속하는 이야기임을 상기시킨다.

먼저, 지금까지 어떤 성경 이야기들을 배웠는지 한번 돌아볼까요? 연대표를 가리키면서 지난 성경 이야기들을 간단하게 복습한다.

이스라엘은 백성의 죄로 인해 북 이스라엘과 남 유다로 나뉘어 버렸어요. 그럼에도 두 왕국의 왕들과 백성은 계속해서 죄를 지었어요. 하나님은 엘리야, 엘리사, 이사야, 호세아, 요나, 요엘, 예레미야, 에스겔과 같은 선지자들을 세워 하나님의 말씀을 백성에게 전하게 하셨어요. 하지만 여전히 많은 사람들이 하나님께 순종하지 않았어요. 결국 남 유다 백성은 바벨론이라는 큰 나라의 포로가 되어버렸어요. 연대표에서 오늘의 성경 이야기 부분을 가리킨다.

이제 우리는 포로 생활 중에도 하나님께 순종한 다니엘과 친구들에 대해서 배우게 될 거예요. 그리고 포로가 된 백성을 여전히 사랑하고 돌보시는 하나님을 만나게 될 거예요.

## 성경의 초점

오늘 성경 이야기를 들으면서 스스로 물어보세요. **"어떻게 해야 하나님께 순종할 수 있나요?"** 바로 이것이 1단원의 '성경의 초점' 질문이랍니다. 다니엘과 친구들은 어떻게 하나님을 믿고 순종했는지 잘 들어 보세요.

## 성경 이야기

DVD 다니엘 1장을 펴고, 설교 영상(지도자용 팩)을 보여 주거나 이야기 성경을 들려준다.

피자가 이렇게 맛있는 가게에 앉아서 건강에 좋은 과일과 채소만 먹어야 한다는 내용의 책을 읽으면서 바보 같다고

느낀 적이 있나요? 혼자 정신없이 웃는다. 하지만 오늘 성경 이야기의 초점은 건강에 좋은 음식을 먹어야 한다는 것이 아니에요.

하나님의 백성이 다른 사람들과 다르게 행동했기 때문에 하나님께 영광을 돌릴 수 있었다는 내용이에요. 만일 하나님이 온종일 맛있는 피자에 둘러싸여 사는 저에게 채소와 같이 건강한 음식만 먹으라고 하신다면, 저는 정말 힘들 거예요!

오늘 성경 이야기는 **"어떻게 해야 하나님께 순종할 수 있나요?"**라는 질문을 생각나게 해요. 여러분은 어떻게 생각하나요? 아이들의 대답을 기다린다. 맞아요! **하나님이 우리에게 순종할 힘을 주신다고 믿어요.**

**다니엘은 하나님께 순종하기 위해 왕이 정한 음식을 먹지 않았어요.** 다니엘과 친구들은 하나님이 순종할 힘을 주신다고 믿었어요. 하나님은 신실하시기 때문에 하나님께 순종하려고 결심한 다니엘과 친구들에게 순종할 힘을 주시고, 다른 젊은이들보다 더 건강하게 하셨어요. 그뿐만 아니라 다니엘과 친구들이 특별한 방법으로 하나님의 축복을 받았다는 사실을 바벨론 왕이 알게 되면서 하나님은 영광을 받으셨어요.

다니엘은 하나님께 순종하기로 결심했고, 하나님은 다니엘과 친구들을 도와주셨어요. 예수님은 언제나 온전히 하나님께 순종하셨어요. 예수님은 죄인들을 구원하시려는 하나님의 계획에 순종해 이 땅에 오셨어요. 예수님은 죄를 지으신 적이 없지만 우리 죄 때문에 십자가에서 죽으셨고, 죽은 자 가운데서 살아나셨어요. 예수님을 믿는 사람들은 하나님의 용서와 축복을 받게 되어요.

## 복음 초청

성경과 63쪽 복음 초청 가이드를 이용해서 아이들에게 그리스도인이 되는 법을 설명해 준다. 따로 상담해 줄 사람을 정해 주고 궁금한 점이 있으면 물어보도록 격려한다.

이 시간 예수님을 마음에 모시고 싶은 친구는 함께 기도해요.

## 기도

하나님, 하나님께서 하나님의 백성을 어떻게 돌보시는지 알려 주셔서 감사합니다. 우리에게 순종할 힘을 주셔서 감사합니다. 무엇보다 우리를 죄에서 구원하기 위해 예수님을 보내 주셔서 감사합니다. 하나님께 온전히 순종하셨던 예수님처럼 우리도 하나님께 순종하는 삶을 살 수 있도록 도와주세요. 예수님의 이름으로 기도합니다. 아멘.

## 적용

TIP 설교 도입이나 적용으로 활용하거나 영상을 본 뒤 소그룹으로 나누어 풍성한 대화를 이어 갈 수 있습니다.

다른 사람과 다르게 행동해야 했던 적이 있나요? 그 경험을 생각하며 다음 영상을 함께 보아요.

DVD 적용 예화 영상(지도자용 팩)을 보여 준다.

아무도 옳은 일을 하지 않을 때 혼자 그 일을 하는 것이 왜 어려울까요? 하나님께 순종하는 것이 왜 중요할까요? 아이들의 대답을 기다린다.

하나님은 우리의 선택과 행동을 통해 우리가 하나님께 영광 돌리기를 원하세요. 우리의 삶을 통해 하나님이 우리를 어떻게 구원하시고 변화시키셨는지 사람들에게 보여줄 수 있어요. 예수님을 위해 살아가는 일은 이 세상이 주는 어떤 기쁨보다 크답니다.

# 가스펠 소그룹
(10~20분)

## 나침반

**무지개 단원 암송**

"그는 때와 계절을 바꾸시며 왕들을 폐하시고 왕들을 세우시며 지혜자에게 지혜를 주시고 총명한 자에게 지식을 주시는도다"(단 2:21).

준비물 1단원 암송(108쪽), 종이, 연필, 색연필

① 1단원 암송을 보여 주고 함께 큰 소리로 읽는다.

② 아이들에게 종이와 연필, 색연필을 나누어 주고, 암송 구절을 종이에 적으라고 한다.

③ 가능한 많은 색을 사용해 암송 구절을 여러 겹으로 써 보라고 한다.

— 이 무지개처럼 쓰여진 단원 암송을 보면서 암송 구절을 외워 보세요. 말씀을 잘 기억할 수 있도록 하나님께 도와 달라고 기도하세요!

## 보물 지도

**퀴즈! 퀴즈!**

준비물 성경

① 아이들에게 성경에서 다니엘 1장을 찾으라고 한다.

② 다니엘은 구약에 있으며, 선지서 중 하나라고 말해 준다.

③ 아이들에게 다니엘 앞에는 무슨 책이 있는지 물어보고(에스겔), 또 다니엘 다음에 어떤 책이 있는지 물어본다(호세아).

④ 그런 후 아래의 질문을 한다.

TIP 이야기 성경을 이용해 성경 이야기를 다시 들려주어도 좋다.

**1** 바벨론 왕은 어떤 젊은이들이 자신을 위해 일하기 바랐나요?

흠이 없고 용모가 아름다우며 모든 지혜를 통찰하며 지식에 통달하며 학문에 익숙한 젊은이들 (단 1:4)

**2** 남 유다에서 온 4명의 젊은이는 무엇이 달랐나요?

자기를 더럽히지 않기 위해 왕의 음식과 포도주를 먹지 않기로 결심했다 (단 1:8~9)

**3** 다니엘과 친구들은 어떤 음식을 먹었나요?

왕이 정한 음식을 거절하고 채소와 물만 먹고 마셨다 (단 1:11~16)

**4** 하나님이 다니엘과 친구들의 순종을 기뻐하셨다는 사실을 어떻게 알 수 있나요?

하나님이 다니엘과 친구들에게 학문과 지식을 깨닫게 하시고, 지혜를 주셨으며, 바벨론 왕의 신임을 얻게 하셨다 (단 1:17~20)

**5** 어떻게 해야 하나님께 순종할 수 있나요?

하나님이 우리에게 순종할 힘을 주신다고 믿어요.

## 탐험하기

**바벨론의 친구들**

준비물 학생용 교재 4쪽, 연필

① 아이들에게 그림 힌트를 보고 빈칸에 알맞은 초성을 넣어 보라고 한다.

② 성경 이야기에 나오는 인물들의 이름을 완성하게 한다.

1. ㄷ ㅏ ㄴ ㅣ ㅇ ㅔ ㄹ
2. ㅅ ㅏ ㄷ ㅡ ㄹ ㅏ ㄱ
3. ㅁ ㅔ ㅅ ㅏ ㄱ
4. ㅇ ㅏ ㅂ ㅔ ㅅ ㄴ ㅡ ㄱ ㅗ

— 오늘은 바벨론 왕궁에서 지내게 된 4명의 젊은이에 관한 이야기를 들었어요. 그들은 하나님께 순종하기로 했어요. 하나님이 순종할 힘을 주신다고 믿었기 때문이에요. 하나님은 그들에게 힘을 주셨고, 그들을 보호하셨어요.

**하나님께 영광을 돌려요!**

준비물 학생용 교재 5쪽, 연필

① 하나님께 영광을 돌릴 방법에 대해 아이들과 이야기해 본다.

② **보기** 에 적힌 단어가 하나님이 기뻐하시는 것인지, 기뻐하지 않으시는 것인지 ○표하게 한다.

③ 표시한 자음과 모음으로 단어를 만들어 문장의 빈칸에 넣으라고 한다.

④ 완성한 문장을 함께 큰 소리로 읽는다.

— **다니엘은 하나님께 순종하기 위해 왕이 정한 음식을 먹지 않았어요.** 그리고 하나님은 그의 순종을 기쁘게 여기시고 복을 주셨어요. 보이지 않는 하나님께 순종하는 것은 쉽지 않을 수 있어요. 하지만 하나님은 보이지 않아도 언제나 우리와 함께 계시고, 우리가 하나님께 순종하고 하나님

과 교제할 수 있도록 힘을 주세요.

| 보기 | 하나님이 기뻐하시는 것 | 하나님이 기뻐하지 않으시는 것 |
|---|---|---|
| 기도 | ㅅ | ㄱ |
| 이웃돕기 | ㅜ | ㅏ |
| 거짓말 | ㄷ | ㄴ |
| 봉사 | ㅈ | ㅅ |
| 교만 | ㅣ | ㅗ |
| 불평 | ㄹ | ㅇ |

## 물로 그린 그림 *

**준비물** 양동이, 물, 그림 붓, 색 판지(선택)

① 물을 채운 양동이를 가지고 아이들과 밖으로 나간다.

② 콘크리트 바닥에 붓으로 오늘의 성경 이야기 장면을 그리라고 한다. 바깥 활동이 어려울 경우, 실내에서 색 판지에 그려도 좋다.

③ 그림이 완성되면 서로에게 그림을 소개하는 시간을 갖는다.

**TIP** 아이들에게 아래와 같은 장면을 그려 보라고 제안한다.

· 다니엘과 친구들이 바벨론으로 끌려갔어요.

· 다니엘과 친구들은 채소와 물만 먹고 마시겠다고 했어요.

· 다니엘과 친구들이 바벨론 왕 앞에 섰어요.

· 다니엘과 친구들은 다른 젊은이들보다 건강하고 똑똑했어요.

· 다니엘과 친구들은 여러 해 동안 바벨론 왕을 위해 일했어요.

—— 오늘 성경 이야기에서 다니엘과 친구들은 다른 사람들과 다르게 행동하기로 했어요. **다니엘은 하나님께 순종하기 위해 왕이 정한 음식을 먹지 않았어요.** 다니엘과 친구들은 하나님이 순종할 힘을 주신다고 믿었어요.

# 보물 상자

## 나만의 기록장

**준비물** 학생용 교재 6쪽, 연필

① 하나님께 무엇을 순종할 수 있는지, 하나님께 어떻게 영광을 돌릴 수 있는지 깨닫거나 다짐한 것을 글로 써 보라고 한다.

② 아이들에게 아래의 질문을 하고 함께 이야기를 나눈다.

· 여러분이 친구가 되어 주어야 하는 사람이 학교에 있나요?

· 성경을 읽거나 하나님에 대해 더 알기 위해 어떻게 시간을 낼 수 있을까요?

· 다른 사람을 돕기 위해 할 수 있는 것이 있나요?

—— 다니엘과 친구들은 하나님께 순종하고 하나님께 영광을 돌리기 위해 다른 사람들과 다른 선택을 했어요. 우리도 하나님께 순종하고 영광을 돌리기 위한 선택을 할 수 있어요. 선택하기 쉬울 때도 있고 어려울 때도 있지만, 우리는 **하나님이 우리에게 순종할 힘을 주신다고 믿어요.**

## 메시지 카드 만들기

**준비물** 학생용 교재 55쪽 메시지 카드, 카드 고리, 펀치, 가위

① 카드를 오리고 펀치로 구멍을 뚫어 고리로 연결하게 한다.

② 가방이나 지갑에 고리를 끼워 항상 휴대하면서 오늘 배운 성경 이야기를 수시로 기억하게 하고, 가족과도 함께 나눌 수 있도록 격려한다.

## 기도

하나님, 언제나 놀라운 은혜를 베풀어 주셔서 감사합니다. 순종할 수 있도록 힘을 주시는 하나님을 믿습니다. 그리고 우리를 죄에서 구원하기 위해 온전히 순종하신 예수님을 찬양합니다. 우리의 작은 순종도 기쁘게 받으시는 하나님만 의지합니다. 예수님의 이름으로 기도합니다. 아멘.

# 2

# 사드락, 메삭, 아벳느고를 구하셨어요

단 3장

**단원 암송**

그는 때와 계절을 바꾸시며
왕들을 폐하시고 왕들을 세우시며
지혜자에게 지혜를 주시고
총명한 자에게 지식을 주시는도다
(단 2:21).

**성경의 초점**

어떻게 해야 하나님께 순종할 수 있나요?
하나님이 우리에게 순종할 힘을 주신다고 믿어요.

## 본문 속으로

바벨론의 왕 느부갓네살은 황금으로 커다란 신상을 만들었습니다. 그러고는 사람들에게 음악 소리가 들리면 신상에 엎드려 절하라고 명령을 내렸습니다. 이 명령을 어기는 사람에 대한 형벌은 엄중했습니다. "누구든지 엎드려서 절하지 아니하는 자는 즉시 맹렬히 타는 풀무불에 던져 넣으리라(단 3:6)"라고 했습니다.

사람들은 음악이 들릴 때마다 황금 신상에 엎드려 절했습니다. 그러나 모든 사람이 그랬던 것은 아닙니다. 사드락, 메삭, 아벳느고는 신상에 절하지 않았습니다. 그들은 참된 하나님 한 분만을 사랑하고 예배했습니다. 하나님만이 예배를 받으셔야 했기 때문입니다.

이 사실을 알게 된 바벨론의 점성술사와 꿈을 해석하는 사람, 점쟁이들은 왕에게 가서 사드락, 메삭, 아벳느고에 관해 이야기했습니다(단 3:8~12 참조). 왕의 명령을 지키지 않은 세 사람에게 죽음의 위협이 닥쳤지만, 그들은 하나님에 대한 충성을 버릴 수 없었습니다. 그래서 그들은 꽁꽁 묶여서 불 속에 던져질 때도 당당할 수 있었습니다.

그 때 기적과 같은 일이 일어났습니다. 느부갓네살은 불 속에 3명이 아닌 4명이 있는 것을 보고 놀라 일어났습니다! 몸이 묶이지 않은 네 사람이 뜨거운 불 속에서도 전혀 화상을 입지 않은 채 걸어 다니고 있었습니다! 하나님은 사드락, 메삭, 아벳느고를 구했을 뿐 아니라 그들과 함께하셨습니다.

사람들은 십자가에 달린 예수님을 향해 "그가 남은 구원하였으되 자기는 구원할 수 없도다(막 15:31)"라고 말하며 비웃었습니다. 예수님은 자신을 구하지 못하신 것이 아니었습니다. 예수님은 하나님의 뜻을 따르기로 선택하셨고, 또 죄인들을 사랑하셨기 때문에 스스로 십자가에 달리신 것입니다. 예수님은 사람들을 구원하기 위해 자신을 구하지 않기로 선택하셨습니다.

### ●● 티칭 포인트

성경 이야기를 들려주면서 아이들이 여러 가능성을 생각해 보도록 이끌어 주십시오. 하나님은 사드락, 메삭, 아벳느고 세 사람이 불구덩이에 던져지지 않게 하실 수 있었습니다. 설사 그들이 불구덩이에서 죽는다 해도 하나님은 그들을 천국으로 부르셨을 것입니다. 그들은 하나님을 믿었기 때문에 무슨 일이 있어도, 온몸이 꽁꽁 묶여 불 속에 던져질 때조차도 당당할 수 있었음을 알려 주십시오. 그리고 하나님께서 그들을 구하신 것처럼, 예수님을 통해 우리를 구원하셨음을 알려 주십시오.

**주 제**

하나님은 불 속에 던져진 사드락, 메삭, 아벳느고와 함께하셨고, 그들을 구해 주셨어요.

**가스펠 링크**

하나님만이 사드락, 메삭, 아벳느고를 구해 내실 수 있었어요. 하나님은 아들인 예수님을 통해 우리를 구원하세요. 예수님만이 우리를 죄에서 구원하실 수 있어요.

## 사드락, 메삭, 아벳느고를 구하셨어요 단 3장

바벨론의 왕 느부갓네살은 황금으로 커다란 신상을 만들었어요. 그러고는 "모든 사람은 들어라! 음악 소리가 들리면 이 신상에 엎드려 절하라. 누구든지 엎드려 절하지 않는 사람은 활활 타는 불구덩이 속에 던져질 것이다!"라고 명령했어요.

바벨론에 있는 모든 사람은 그 규칙을 지켜야 했어요. 사람들은 음악 소리가 들릴 때마다 왕이 명령한 대로 황금 신상에 엎드려 절했어요. 하지만 모든 사람이 신상에 엎드려 절하지는 않았어요. 남 유다에서 온 사드락, 메삭, 아벳느고는 신상에 절하지 않았어요.

그러자 그들을 미워하고 시기하는 몇 사람들이 느부갓네살에게 가서 사드락, 메삭, 아벳느고에 관해 이렇게 이야기했어요. "왕께서는 모두가 지켜야 할 규칙을 만들었습니다. 하지만 유다에서 온 몇 사람들이 왕의 말씀을 지키지 않고 왕께서 세우신 신상에 절하지 않습니다."

이 말을 들은 느부갓네살은 화가 났어요! 왕은 세 사람을 불러 "너희들이 내 신들을 섬기지 않고 내가 세운 신상에 절하지 않는 것이 사실이냐? 또다시 신상에 절하지 않으면 너희를 활활 타오르는 불구덩이 속에 던질 것이다! 그러면 어떤 신이 너희를 내 손에서 구해 낼 수 있겠느냐?"라고 말했어요.

사드락, 메삭, 아벳느고는 "왕이여, 우리가 섬기는 하나님이 활활 타오르는 불구덩이에서 우리를 구해 주실 것입니다. 하지만 하나님이 우리를 구하지 않으시더라도, 우리는 왕의 신들을 섬기거나 황금 신상에 절하지 않을 것입니다"라고 대답했어요.

느부갓네살은 더욱더 화가 났어요! 힘센 병사들에게 사드락, 메삭, 아벳느고를 꽁꽁 묶으라고 했지요. 그리고 병사들은 세 사람을 활활 타오르는 불구덩이에 던졌어요.

불구덩이 안을 보던 느부갓네살이 놀라 벌떡 일어나 "우리가 불 속에 던진 사람은 3명이지 않느냐? 보라! 불 속에서 네 사람이 걸어 다니고 있구나. 네 번째 사람은 마치 신들의 아들 같다!"라고 소리쳤어요.

왕은 재빨리 불구덩이에 다가가 소리쳤어요. "높고 높으신 하나님을 섬기는 사드락, 메삭, 아벳느고야! 밖으로 나오너라!" 그러자 사드락, 메삭, 아벳느고가 불에서 나왔어요. 그들은 머리털 하나도 불에 그을리지 않았어요!

느부갓네살은 "사드락, 메삭, 아벳느고의 하나님이 천사를 보내 자신을 섬기는 사람들을 구해 내셨다!"라고 외치며 하나님을 찬양했어요.

왕은 백성에게 새로운 명령을 내렸어요. "사드락, 메삭, 아벳느고의 하나님을 나쁘게 말하는 사람은 누구든 벌을 받을 것이다! 어떤 신도 자기를 믿는 사람을 이렇게 구해 낼 수 없기 때문이다!" 그 후 왕은 사드락, 메삭, 아벳느고를 바벨론의 높은 자리에 앉혔어요.

### ●● 가스펠 링크

하나님은 사드락, 메삭, 아벳느고와 함께 불 속에 계셨어요. 하나님만이 그들을 구해 내실 수 있었어요. 하나님은 아들인 예수님을 통해 우리를 구원하세요. 예수님만이 우리를 죄에서 구원하실 수 있어요. 십자가에서 죽으시고 살아나신 예수님으로 인해 우리는 죄에서 구원받고 영원한 생명을 얻을 수 있어요.

# 가스펠 **준비**
(10~20분)

## 환영

도착하는 아이들을 반갑게 맞이하고 헌금, 출석, QT 등을 확인하며 격려한다. 새 친구가 있다면 소개한다. 편안한 분위기에서 안부를 물으며 오늘의 말씀과 관련된 화제로 이야기를 나눈다. 안전해지기 위해 누군가의 도움을 받아야 하는 상황에 관해 이야기를 나눈다. 자발적으로 대화에 참여하도록 이끈다.

예) "집에 도둑이나 강도가 들면 누구에게 도움을 청할 수 있을까요?", "불이 나면 누구에게 도움을 청해야 할까요?" 등.

— 우리를 안전하게 지켜 주거나 도와줄 사람이 필요한 때가 많아요. 하나님은 부모님이나 선생님, 소방관 같은 사람들을 통해 우리를 돌보시고 보호하세요. 오늘 성경 이야기에서는 하나님이 하나님을 따르는 사람들을 놀라운 방법으로 돌보신 일에 관해 배우게 될 거예요.

## 마음 열기

**불이 난다면 ***

① 불이 나면 어떻게 행동해야 할지 아이들과 이야기를 나눈다.
② 화재경보기나 연기탐지기가 제대로 작동하지 않을 수도 있다고 설명한다.
③ 아이들에게 당황하지 말고 침착해야 한다고 말해 준다.
④ 불이 나면 어디로 탈출할지, 밖으로 나간 후 어디에서 모여야 할지를 이야기한다.
⑤ 안전하게 불을 끄도록 훈련받은 소방관들이 사람들을 보호하고 안전하게 지키기 위해 올 것이라고 설명한다.

TIP 교회와 건물의 재난 안전 설명서에 따라 아이들과 나눌 내용을 수정해도 좋다.

— 오늘은 하나님을 예배했다는 이유로 불구덩이에 던져졌지만, 하나님이 어떤 상황에서도 순종할 수 있도록 힘을 주신 세 사람에 관해 배울 거예요. 성경 이야기에 귀 기울이면서 하나님이 그들을 어떻게 돌보셨는지 들어 보세요.

**상상의 장면들 ***

① 아이들에게 자리에서 일어나 몸을 쭉 펴 보라고 한다.
② 눈을 감으라고 하고, 어떤 장면이나 사건을 설명해 준다.
③ 아이들에게 들려준 장면을 상상하면서 그 상황에서 어떻게 행동할지 몸으로 표현해 보라고 한다.

예) 사우나에서 한 시간 동안 버티기 , 수영복 입고 눈사람 만들기, 달에서 농구하기, 해저도시 탐험하기, 태양 표면에서 마시멜로 굽기 등.

— 도무지 상상하기 어려운 일들도 있어요! 불구덩이에 던져진다고 상상할 수 있나요? 오늘은 불구덩이에 던져진 세 사람에 관한 이야기를 들을 거예요. 하지만 하나님은 하나님을 따르는 사람들을 구하기 위해 기적 같은 일을 하셨어요. 하나님이 무슨 일을 하셨는지 들어 보세요.

# 가스펠 **설교**
(15~30분)

## 들어가기

준비물 요리사 복장(앞치마, 모자), 붕대, 검은색 또는 짙은 갈색의 색조 화장품

요리사 복장을 하고 손에 붕대를 감은 채, 숨을 헐떡이며 급히 뛰어 들어온다. 얼굴과 팔에 검은색이나 갈색의 짙은 색조 화장품을 칠해 재처럼 보이게 분장한다.

휴! 안녕하세요, 여러분! 오늘은 정말 정신이 하나도 없네요. 붕대 감은 손을 내려다보며 음, 오븐에서 사고가 났어요. 할머니의 특별 소스를 바른 피자들을 잔뜩 집어넣었는데, 오븐의 불 조절이 안 되는 거예요!

맛있는 피자를 빨리 꺼내려고 아무 생각 없이 장갑도 끼지 않고 오븐에 손을 넣었다가 그만 화상을 입고 말았어요. 세상에, 불이 너무 뜨거웠어요! 정신 차리고 조심하지 않으면 불 때문에 화상을 입게 되지요.

이 사건으로 한 가지 성경 이야기가 떠올랐어요. 연대표를 지그시 바라본다. 맞아요! 제가 생각한 대로예요.

## 연대표

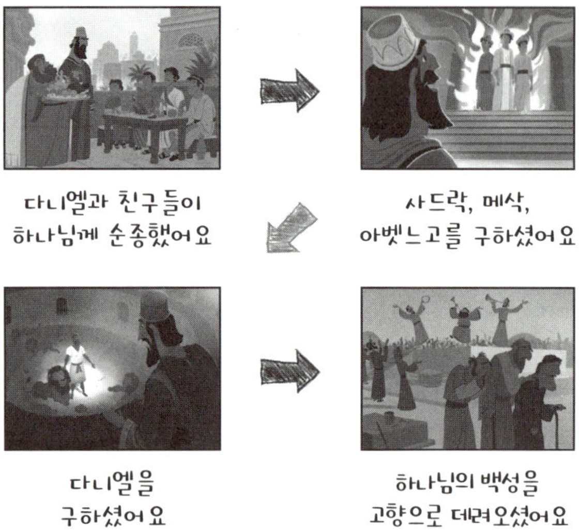


연대표에서 오늘의 성경 이야기 부분을 가리킨다.

오늘 성경 이야기는 다니엘 3장에 나와요. 흥미롭게도 또 다른 불에 관한 이야기를 듣게 될 거예요. 하지만 오늘 성경 이야기에 등장하는 인물들은 저와는 다르게, 붕대 감은 손을 보면서 결국 행복해진답니다.

## 성경의 초점

성경에 나오는 사드락, 메삭, 아벳느고의 이야기를 들으면서 바벨론 왕이 어떤 명령을 했는지 잘 들어 보세요. 왕이 여러분에게 똑같은 명령을 했다면 여러분은 어떻게 했을지 상상해 보세요. '성경의 초점' 질문인 **"어떻게 해야 하나님께 순종할 수 있나요?"**에 대해서도 잘 생각해 보세요. 또한 사드락과 메삭과 아벳느고는 어떻게 하나님을 믿고 순종했는지도 귀 기울여 들어 보세요. 와, 오늘은 성경 이야기를 들으면서 생각할 게 참 많네요!

## 성경 이야기

DVD 다니엘 3장을 펴고, 설교 영상(지도자용 팩)을 보여 주거나 이야기 성경을 들려준다.

우와! 정말 놀라운 이야기예요! 하나님이 사드락과 메삭과 아벳느고를 보호하신 방법이 정말 감동적이에요. 좀 전에 사고를 당했을 때 오븐은 맨살에 닿으면 화상을 입을 만큼 뜨거웠지만 죽을 정도로 뜨겁지는 않았어요. 제가 만약 사드락, 메삭, 아벳느고와 같은 입장이었다면 정말 무서웠을 거예요. '성경의 초점'을 끊임없이 기억해야 했을 거예요. **어떻게 해야 하나님께 순종할 수 있나요?** 맞아요! **하나님이 우리에게 순종할 힘을 주신다고 믿어요.**

오늘 성경 이야기에 나오는 사람들은 바벨론 왕에게 순종해 신상에 절할지, 아니면 하나님께 순종해 하나님만 예배할지 선택해야 했어요. 사드락, 메삭, 아벳느고는 왕에게 순종하지 않으면 죽을 수도 있다는 사실을 알았지만, 진정한 하나님 한 분만 예배하기로 선택했어요.

하나님은 왕의 마음을 바꾸실 수 있었지만 그렇게 하지 않으셨어요. 왕이 사드락, 메삭, 아벳느고를 벌하도록 내버려 두셨어요. 하지만 하나님은 그들이 무시무시한 상황에서도 하나님을 믿고 순종할 수 있도록 힘을 주셨어요. **하나님은 불 속에 던져진 사드락, 메삭, 아벳느고와 함께하셨고, 그들을 구해 주셨어요.**

하나님은 지금도 사람들에게 하나님을 믿고 순종할 힘을 주세요. 사드락, 메삭, 아벳느고를 구원하신 것처럼 우리를 구원할 계획을 갖고 계세요. 하나님은 아들인 예수님을 이 땅

에 보내셨어요. 예수님은 하나님께 온전히 순종하셨어요. 예수님은 죄를 지은 적이 없지만 우리 죄 때문에 십자가에서 죽으시고, 죽은 자 가운데서 살아나셨어요. 이제 예수님을 믿는 사람들은 하나님의 용서와 복을 받을 수 있어요.

## 복음 초청

성경과 63쪽 복음 초청 가이드를 이용해서 아이들에게 그리스도인이 되는 법을 설명해 준다. 따로 상담해 줄 사람을 정해 주고 궁금한 점이 있으면 물어보도록 격려한다.

이 시간 예수님을 마음에 모시고 싶은 친구는 함께 기도해요.

## 기도

하나님, 우리가 이해할 수 없거나 두려움을 느끼는 상황에서도 우리와 함께하시고 다스려 주시니 감사합니다. 언제나 하나님 한 분만 믿고 순종할 수 있도록 우리에게 힘을 주세요. 우리를 죄에서 구하신 예수님을 믿고 따르도록 우리에게 믿음을 주세요. 예수님의 이름으로 기도합니다. 아멘.

## 찬양

구원을 얻으리

여호와는 신실하신 하나님
모든 민족과 역사 주 다스리시네
주의 백성을 다시 일으키시네
주께 순종할 힘 주시네
주가 도와주시네

구원을 얻으리 불 가운데에서도
구원을 얻으리 무서운 사자 굴에서도
신실하신 하나님 나의 힘이 되시네
두려움 나 없으리
구원을 얻으리.

※지도자용 팩 또는 가스펠 프로젝트 홈페이지(gospelproject.co.kr)에서 이용하세요.

## 적용

TIP 설교 도입이나 적용으로 활용하거나 영상을 본 뒤 소그룹으로 나누어 풍성한 대화를 이어 갈 수 있습니다.

사드락, 메삭, 아벳느고가 불구덩이에 던져졌을 때 두려움을 느꼈다고 생각하나요? 여러분은 외로움이나 두려움을 느낄 때 무엇을 하나요? 이 영상을 보며 확인해 보세요.

적용 예화 영상(지도자용 팩)을 보여 준다.

나이절이 무엇을 하면 위안을 더 많이 얻을 수 있을지 물어본다.

우리가 외로움이나 두려움을 느낄 때 성경은 어떻게 위안을 줄까요? 성경은 하나님과 하나님의 약속에 관해 무엇이라고 말하나요? (하나님은 우리와 함께 계세요, 마 28:20; 하나님은 우리를 절대 떠나지 않으세요, 히 13:5)

아무리 큰 대가를 치르더라도 우리는 신실하게 하나님을 섬길 수 있어요. 어떤 상황에서도 하나님이 우리와 함께하신다고 믿을 수 있어요. 하나님의 약속은 하나님을 믿고 순종할 수 있도록 우리에게 희망과 용기를 준답니다.

# 가스펠 소그룹
(10~20분)

## 나침반

### 말씀 사슬

준비물 1단원 암송(108쪽), 종이 띠(인원수대로 각 4장씩), 연필, 접착테이프

① 1단원 암송을 출력해 예배실 벽에 붙여 둔다.

② 아이들에게 종이 띠를 4장씩 나누어 주고, 종이에 암송 구절을 적게 한다.

③ 종이 띠를 고리 모양으로 둥글게 말아 접착테이프로 고정하라고 한다. 사슬 모양으로 고리를 연결하라고 한다.

④ 완성한 종이 사슬을 집에 가져가 한 주 동안 1단원 암송 구절을 외우는 데 활용하라고 한다.

## 보물 지도

### 짝꿍과 답해요

준비물 성경

① 아이들에게 성경에서 다니엘 3장을 찾으라고 한다. 다니엘은 구약성경에 있다고 알려 준다.

② 아이들에게 2명씩 짝을 지으라고 한다.

③ 인도자가 오늘 성경 이야기에 관한 질문을 하면, 짝끼리 서로 바라보고 정답을 외치라고 한다.

④ 인도자가 '성경의 초점' 질문을 하면, 답을 외친 후 다른 아이와 짝을 새로 지으라고 말해 준다.

**복 / 습 / 질 / 문**

1 바벨론의 왕 느부갓네살은 사람들에게 어떤 명령을 내렸나요?
악기 소리가 들리면 느부갓네살이 세운 금 신상에 엎드려 절하라고 명령했다 (단 3:4~5)

2 왕의 명령을 따르지 않는 사람들은 어떤 벌을 받게 되었나요?
활활 타는 불구덩이에 던져졌다 (단 3:6, 11, 15)

3 왕은 뜨거운 불구덩이에 몇 명을 던져 넣으라고 했나요?
3명, 사드락과 메삭과 아벳느고 (단 3:20, 24)

4 왕은 불구덩이 속에서 몇 명을 보았나요? 4명 (단 3:24~25)

5 활활 타는 불 속에서 사드락, 메삭, 아벳느고를 구하신 분은 누구인가요? 하나님 (단 3:17, 28)

**6 어떻게 해야 하나님께 순종할 수 있나요?**
**하나님이 우리에게 순종할 힘을 주신다고 믿어요.**

— **하나님은 불 속에 던져진 사드락, 메삭, 아벳느고와 함께하셨고, 그들을 구해 주셨어요.** 하나님은 우리와도 항상 함께하세요. 우리가 원하는 대로 하나님이 응답하지 않으실 때도 있지만 하나님은 우리와 하나님의 영광을 위해 일하세요.

## 탐험하기

### 바벨론 일보

준비물 학생용 교재 8쪽, 연필

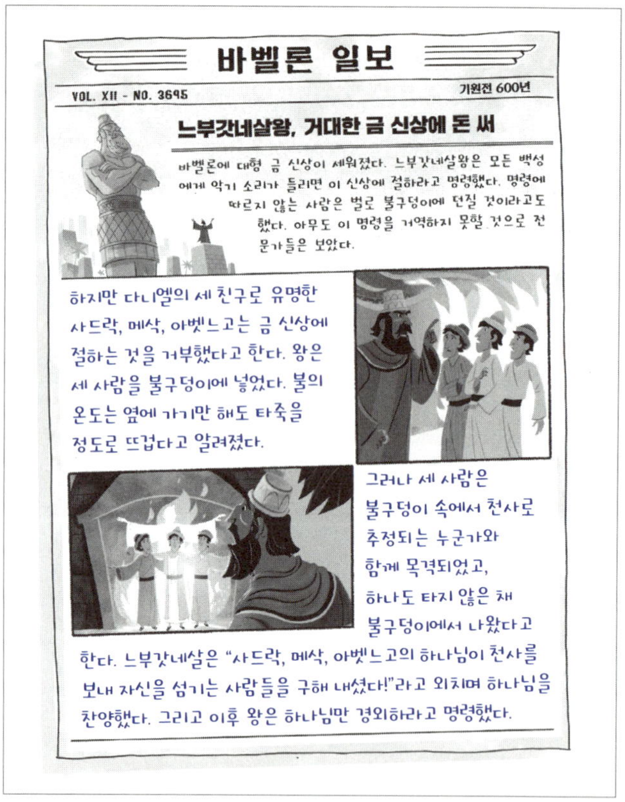
바벨론 일보

VOL. XII - NO. 3695 기원전 600년

**느부갓네살왕, 거대한 금 신상에 돈 써**

바벨론에 대형 금 신상이 세워졌다. 느부갓네살왕은 모든 백성에게 악기 소리가 들리면 이 신상에 절하라고 명령했다. 명령에 따르지 않는 사람은 벌로 불구덩이에 던질 것이라고도 했다. 아무도 이 명령을 거역하지 못할 것으로 전문가들은 보았다.

하지만 다니엘의 세 친구로 유명한 사드락, 메삭, 아벳느고는 금 신상에 절하는 것을 거부했다고 한다. 왕은 세 사람을 불구덩이에 넣었다. 불의 온도는 옆에 가기만 해도 타 죽을 정도로 뜨겁다고 알려졌다.

그러나 세 사람은 불구덩이 속에서 천사로 추정되는 누군가와 함께 목격되었고, 하나도 타지 않은 채 불구덩이에서 나왔다고 한다. 느부갓네살은 "사드락, 메삭, 아벳느고의 하나님이 천사를 보내 자신을 섬기는 사람들을 구해 내셨다!"라고 외치며 하나님을 찬양했다. 그리고 이후 왕은 하나님만 경외하라고 명령했다.

아이들과 오늘의 성경 이야기를 간단하게 복습한 후 성경 이야기를 바탕으로 바벨론 신문 기사의 제목과 내용을 완성하게 한다.

— 사드락, 메삭, 아벳느고는 바벨론 왕의 명령을 따르지 않고 하나님만 예배하기로 선택했어요. 왕에게 순종하지 않으면 죽을 수 있다는 사실을 알았지만 오직 하나님께만 순종한 것이지요. 그리고 하나님은 그들을 구하셨어요.

### 우리와 함께하시는 하나님

준비물 학생용 교재 9쪽, 47쪽 말판

① 연대표의 빈칸에 지금까지 배운 가스펠 프로젝트(하나님의 구원 계획)

의 제목을 쓰게 한다.

② 학생용 교재 47쪽의 말판과 말을 오리고, 말판의 7칸을 무작위로 자기 말의 색으로 칠하게 한다.

③ 순서를 정한 후 주사위를 던져 말판의 말이 도착하는 칸에 적혀 있는 수만큼 보드게임판에서 말을 진행시킨다.

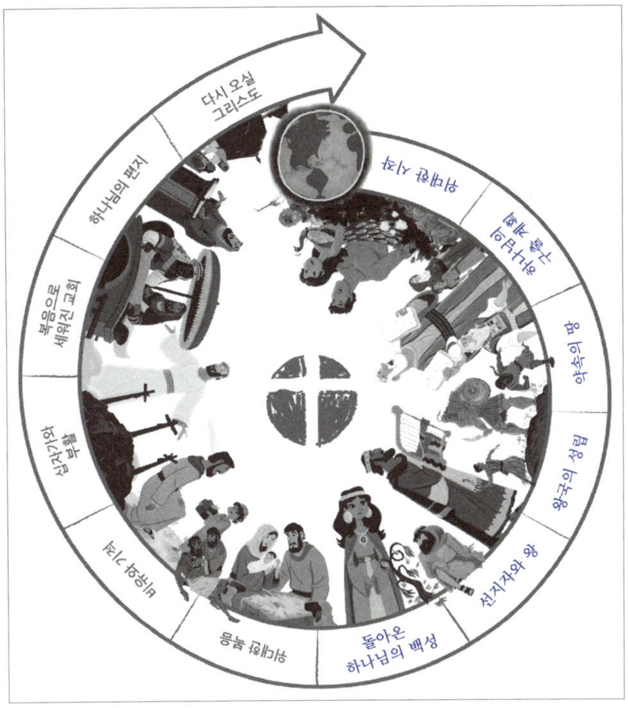


— 하나님은 이스라엘 백성(유다 사람들)의 불순종을 기뻐하지 않으셨어요. 하지만 하나님이 불 속에 던져진 사드락, 메삭, 아벳느고와 함께하시고 그들을 구하셨듯, 하나님의 백성과도 함께하시고 구해 주세요.

### 용암에서 깡충깡충! *

**준비물** 판지, 가위, 접착테이프

① 판지를 여러 조각으로 잘라 예배실 곳곳에 흩뿌려 놓는다.

② 아이들이 한 발씩 건너뛰며 방을 가로지를 수 있도록 접착테이프로 판지 조각을 바닥에 붙인다.

③ 아이들에게 바닥은 뜨거운 용암이고, 판지 위를 징검다리처럼 깡충깡충 뛰어서 예배실 반대편까지 건너가라고 말해 준다.

④ 바닥을 밟으면 출발한 곳으로 돌아가 다시 시작해야 한다고 일러 준다.

⑤ 아이들을 2팀으로 나누어 놀이를 반복해도 좋다.

— 여러분은 어떻게 하면 불에 데지 않고 용암 사이를 건널지 계획을 세울 수 있었어요. 그러나 오늘 성경 이야기에 나오는 불구덩이 속에서는 기적이 아니면 살아남을 수 없었어요! 사드락, 메삭, 아벳느고는 하나님이 제일 좋은 일을 하실 것이라고 믿었어요. 그리고 **하나님은 불 속에 던져진 사드락, 메삭, 아벳느고와 함께하셨고, 그들을 구해 주셨어요.** 하나님은 우리를 죄에서 구원할 유일한 희망이 되세요. 하나님은 아들인 예수님을 통해 우리를 구원하세요.

## 보물 상자

### 나만의 기록장

**준비물** 학생용 교재 10쪽, 연필

① 아이들에게 어렵고 힘든 상황에서도 하나님께 순종할 수 있는지 물어본다.

② 질문에 대한 아이들의 생각을 글로 써 보라고 한다.

- 친구를 잃어도 하나님께 순종할 수 있나요?
- 가족을 잃어도 하나님께 순종할 수 있나요?
- 목숨을 잃어도 하나님께 순종할 수 있나요?

— **하나님은 불 속에 던져진 사드락, 메삭, 아벳느고와 함께하셨고, 그들을 구해 주셨어요.** 그들은 하나님 한 분 외에는 누구도 예배하지 않겠다고 결심했어요. 우리가 하나님을 믿을 때, 하나님은 우리가 하나님께 순종할 수 있도록 힘을 주세요.

### 메시지 카드

이번 주 메시지 카드로 부모님과 함께 오늘 배운 성경 이야기를 나누어 보라고 한다.

### 기도

죽을지 모르는 상황에서도 하나님만 의지하고 예배한 사드락, 메삭, 아벳느고처럼 우리도 오직 하나님만 예배하기를 원합니다. 예수님을 통해 우리를 구원하시고, 언제나 우리와 함께하시는 하나님을 늘 기억할 수 있도록 도와주세요. 예수님의 이름으로 기도합니다. 아멘.

# 3

# 다니엘을 구하셨어요

단 6장

**단원 암송**

그는 때와 계절을 바꾸시며
왕들을 폐하시고 왕들을 세우시며
지혜자에게 지혜를 주시고
총명한 자에게 지식을 주시는도다
(단 2:21).

**성경의 초점**

어떻게 해야 하나님께 순종할 수 있나요?
하나님이 우리에게 순종할 힘을 주신다고 믿어요.

## 본문 속으로

다니엘 5장은 바벨론의 왕 벨사살이 죽고 다리오가 왕위에 오르는 장면으로 끝납니다. 바벨론은 강력하고 번창했던 제국의 지위를 잃고 쇠퇴합니다. 당시 다니엘은 80대 초반의 노인이었습니다. 다니엘은 왕국을 다스리는 총리 중 한 명이 되어 새 왕을 위해 일했습니다.

다니엘은 일을 정말 잘했습니다. 다리오왕은 어느 관리보다 능력이 뛰어난 다니엘에게 왕국 전체를 맡기려고 했습니다. 다른 총리들과 지방장관들은 다니엘을 질투했습니다. 다니엘을 지켜보면서 잘못을 찾아내 왕에게 고발하려고 했습니다. 다니엘은 충성스러운 사람이었으므로 어떤 실수나 잘못도 찾아낼 수 없었습니다(단 6:4 참조).

관리들이 악한 마음을 먹고 설득하는 바람에 다리오왕은 30일 동안 왕 외에는 누구에게도 기도할 수 없다는 명령을 내립니다. 하지만 다니엘은 담대하게 하나님께 계속 기도했습니다. 명령을 어기는 사람은 모두 죽이겠다는 왕의 위협에도 다니엘은 기도를 멈추지 않았습니다. 결국, 다니엘은 질투하던 관리들의 고발로 사자 굴에 던져집니다.

### ● ● 티칭 포인트

다니엘이 어떤 기분이었을지 아이들이 상상해 볼 수 있도록 이끌어 주십시오. 다니엘은 잡힐까 봐 걱정했을까요? 사자들에게 잡아먹히는 악몽을 꾸었을까요? 아이들을 가르치면서 다니엘이 참된 왕이신 하나님께 충성했고, 하나님이 그를 구해 내셨다는 사실을 강조하십시오. 하나님의 보호는 "살아 계신 하나님으로 영원히 변하지 않는 분이며, 그의 나라는 절대 멸망하지 않고 그의 다스림이 끝없이 이어질 것"이라는 다니엘의 고백이 사실이라는 것을 모든 사람에게 보여 줍니다(단 6:26 참조).

하나님은 우리에게 무슨 일이 있어도 하나님을 믿고 순종하라고 하십니다. 하나님은 사자보다 훨씬 더 위험한 것으로부터 우리를 구원하기 위해 아들인 예수님을 보내셨습니다. 예수님은 우리를 죄와 죽음에서 구원하십니다. 여러분과 여러분이 가르치는 아이들의 믿음을 통해 하나님의 이름이 영원히 찬양받으시도록 기도하십시오(단 2:20 참조).

**주 제**

다니엘은 하나님께 신실했고, 하나님은 그를 구하셨어요.

**가스펠 링크**

사자들의 입을 막아 다니엘을 구하신 하나님은 예수님을 통해 죄와 죽음에서 우리를 구원하셨어요.

## 다니엘을 구하셨어요 단 6장

다리오왕은 바벨론 지역의 새 지도자였어요. 다리오왕은 다니엘을 바벨론을 나눠 다스릴 총리 중 한 명으로 뽑았어요. 다니엘은 일을 굉장히 잘했고, 왕은 다니엘에게 나라 전체를 맡겨야겠다고 생각했어요.

이 소식을 들은 다른 관리들이 다니엘을 질투했어요. 그들은 다니엘이 무슨 잘못을 하나라도 하면 어려움에 빠뜨리려고 지켜보았았어요. 하지만 다니엘은 옳은 일만 했어요.

다니엘이 하나님께 순종한다는 사실을 알았던 관리들은 다니엘이 기도 때문에 어려움을 겪도록 나쁜 계획을 세웠어요. 그들은 왕을 찾아가 "왕이시여, 앞으로 30일 동안 모든 사람이 다른 신이 아닌 오직 당신에게만 기도하도록 명령을 내리십시오. 이 명령을 어기는 사람은 누구든 사자 굴에 던져 넣어야 합니다"라고 말했어요. 이 말을 들은 왕은 관리들의 말대로 새로운 명령을 내렸어요.

다니엘은 왕의 명령을 지키려면 하나님께 기도하지 못한다는 사실을 알았어요. 그런데도 다니엘은 집으로 돌아가 항상 그랬듯이 매일 3번씩 하나님께 기도했어요. 이 모습을 본 관리들은 왕에게 달려가 다니엘이 왕의 명령을 어기고 하나님께 기도했다고 일러바쳤어요.

왕은 당황했어요. 명령을 어긴 다니엘에게 벌을 내려야 한다는 사실을 알았지만, 그를 벌하고 싶지 않았기 때문이에요. 왕은 어떻게 하면 다니엘을 사자들로부터 구할 수 있을지 온종일 고민했어요.

관리들은 "왕이시여, 왕께서 내린 명령을 바꿀 수는 없습니다"라고 말했어요. 결국, 왕은 다니엘을 사자 굴에 던져 넣으라고 명령했어요. 그리고 다니엘에게 "네가 항상 섬기는 하나님이 너를 구원하실 것이다"라고 말했어요. 밤이 되어 왕궁으로 돌아간 왕은 다니엘이 걱정되어 먹지도 않고 자지도 못했어요. 사자 굴에 던져진 다니엘 걱정 뿐이었지요.

다음 날 아침 해가 뜨자마자 왕은 서둘러 사자 굴로 달려갔어요. "다니엘아! 네 하나님이 너를 사자들로부터 구해 주셨느냐?" 왕은 슬피 울며 소리쳐 물었어요.

사자 굴에서 다니엘의 목소리가 들렸어요. "왕이시여! 하나님이 천사를 보내 사자들의 입을 막으셔서 저를 해치지 못하게 하셨습니다!"

왕은 너무나 기뻤어요! 당장 사자 굴에서 다니엘을 건져 올리라고 명령했어요. 다니엘은 하나님을 믿었기에 상처 하나 입지 않았어요.

다리오왕은 모든 백성은 하나님을 경외해야 한다는 새로운 명령을 내렸어요. 그리고 "하나님은 살아 계시고 영원히 변하지 않는 분이시다! 하나님이 사자들의 입에서 다니엘을 구해 내셨다"라고 말했어요.

### ●● 가스펠 링크

하나님은 사자들의 입을 막아 다니엘을 구하셨어요. 이것은 더 큰 이야기의 작은 일부일 뿐이에요. 하나님은 아들인 예수님을 통해 죄와 죽음에서 우리를 구원하셨어요.

# 가스펠 준비
(10~20분)

## 환영

도착하는 아이들을 반갑게 맞이하고 헌금, 출석, QT 등을 확인하며 격려한다. 새 친구가 있다면 소개한다. 편안한 분위기에서 안부를 물으며 오늘의 말씀과 관련된 화제로 이야기를 나눈다. 아이들에게 하나님만이 하실 수 있는 놀라운 일들은 무엇이 있는지 물어본다. 자발적으로 대화에 참여하도록 이끈다.

예) "평상시에는 일어날 수 없는 기적 같은 일을 경험한 적이 있나요?", "그런 일들은 누가 만들까요?", "하나님만이 하실 수 있는 놀라운 일들에는 어떤 것이 있을까요?" 등.

— 하나님만이 하실 수 있는 놀라운 일들과 기적들을 이야기해 보았어요! 하나님은 언제나 하나님의 영광을 위해 놀라운 일을 하세요. 오늘은 하나님이 사람의 생명을 살리시고, 또 하나님만이 진정한 하나님이시라는 사실을 사람들이 알도록 행하신 놀라운 일에 관해 들어 볼 거예요.

## 마음 열기

### 어떤 동물일까? *

① 아이들에게 자신 있는 동물 소리를 내 보라고 한다.

② 번갈아 가며 동물 소리를 내고, 어떤 동물인지 서로 맞히게 한다.

③ 아이들에게 굶주린 사자처럼 으르렁거리라고 한다.

④ 배고픈 사자가 옆에 있는 친구를 잡아먹으려는 모습을 흉내내 보라고 한다.

⑤ 마지막으로 배가 고파도 잡아먹을 수 없는 사자의 소리를 내 보라고 본다.

— 굶주린 사자가 되었다고 상상해 보세요. 사람들이 맛있는 음식을 여러분에게 던져 주었어요. 그런데 아무리 배가 고파도 음식을 먹을 수 없었어요! 우리는 배가 고파도 먹을 수 없는 사자의 아주 이상한 울음소리를 들었어요. 왜 이런 일이 일어났을까요? 오늘 성경 이야기를 잘 듣고 함께 알아보아요!

### 다니엘 모으기 *

DVD **준비물** '다니엘과 사자' 카드(지도자용 팩), 책상, 스톱워치(시계)

① '다니엘과 사자' 카드를 출력해 둔다. 총 3부를 출력해 48장의 카드를 만든다.

② 사자 모양이 보이도록 카드를 책상 위에 펼쳐 둔다.

③ 아이들을 2팀으로 나누고, 파란 다니엘 팀과 빨간 다니엘 팀을 정한다.

④ 팀별로 한 명씩 앞으로 나와 30초 동안 카드를 뒤집게 한다. 카드 뒷면이 자기 팀 색깔의 다니엘일 경우에는 카드를 뒤집어 놓고, 다른 팀 색깔의 다니엘일 경우에는 다시 사자가 보이도록 카드를 엎어 두게 한다.

⑤ 상대 팀의 다니엘 카드도 다시 사자가 보이게 뒤집을 수 있다.

⑥ 자기 팀의 '하나님' 카드를 뒤집을 경우, 팀원들을 불러 함께 카드를 뒤집을 수 있다. 상대 팀의 '하나님' 카드를 뒤집으면 다시 사자가 보이도록 엎어 두라고 말해 준다.

⑦ 시간 안에 카드를 가장 많이 뒤집은 팀이 이긴다.

— 친구들이 도와주니 훨씬 쉬웠지요? 오늘은 다니엘이 사자 굴에서 살아남은 이야기를 들을 거예요. 다니엘은 굶주린 사자들이 있는 굴에 던져졌지만, 하나님이 안전하게 지키셨어요! 성경 이야기 속으로 출발해 볼까요?

# 가스펠 **설교**
(15~30분)

## 들어가기

준비물 **일상복 차림**(청바지, 티셔츠, 야구모자), **동물원 관련 소품들**(지도, 쌍안경, 기념품 컵, 사자 인형 등)

가벼운 일상복 차림을 하고 동물원 관련 소품을 들고 들어온다.

안녕하세요, 여러분! 우와! 정말 오랜만에 가게를 쉬게 되었어요! 동료들이 제 일을 대신해 주겠다고 하면서 동물원 입장권도 선물로 줬어요! 동물원에 가 본 사람 있나요? 어떤 동물을 좋아하나요? 아이들의 대답을 기다린다.

동물원에 있는 동물 중 제가 가장 좋아하는 동물은 사자예요! 연대표를 향해 걸어간다. 사자가 '정글의 왕'이라고 불린다는 것 알고 있나요? 세상에! 엄청나게 커요! 다 자란 수사자는 몸무게가 무려 180kg이 넘고, 길이는 1.2m 정도나 되어요! 양옆으로 팔을 벌려 1.2m가 어느 정도인지 보여 준다. 사자는 함께 모여 살면서 얼룩말이나 작은 코끼리 등의 동물들을 잡아먹어요. 사자는 정말 우람하고 힘이 아주 세지요.

## 연대표

다니엘과 친구들이 하나님께 순종했어요

사드락, 메삭, 아벳느고를 구하셨어요

다니엘을 구하셨어요

하나님의 백성을 고향으로 데려오셨어요

여기 보세요! 연대표에서 오늘의 성경 이야기를 가리킨다. 오늘 성경 이야기에는 사자가 등장해요! 방금 사자에 대해 이야기를 했는데 엄청난 우연인걸요? 어, 근데 이 사자들은 정말 배고파 보이네요!

## 성경의 초점

오늘 성경 이야기를 듣기 전에 이 이야기에서 가장 중요한 부분은 사자가 아니라는 사실을 기억해야 해요. 하나님은 어떤 분이시고, 우리는 어떻게 하나님께 순종할 수 있느냐에 초점을 두어야 해요. **어떻게 해야 하나님께 순종할 수 있나요?** 아이들의 대답을 기다린다. 맞아요. **하나님이 우리에게 순종할 힘을 주신다고 믿어요.**

## 성경 이야기

DVD 다니엘 6장을 펴고, 설교 영상(지도자용 팩)을 보여 주거나 이야기 성경을 들려준다.

다니엘은 바벨론에 처음 도착했을 때처럼 또다시 결단해야 했어요. 다니엘은 왕의 명령을 따르면서 하나님께 불순종하든지, 아니면 하나님께 순종하면서 왕의 명령을 어기든지 둘 중 하나를 선택해야 했어요. 왕의 명령을 어기면 목숨을 잃을지도 모른다는 사실을 알았지만, 다니엘은 좌절하지 않았고 하나님이 순종할 힘을 주신다고 믿었어요. 다니엘은 하나님께 순종하기 위해 왕의 명령에 불순종했어요.

우리도 다니엘처럼 불순종한 적이 있어요. 집에서나 학교에서 규칙을 어기기도 했고, 무엇보다도 우리는 모두 하나님께 불순종했어요. 불순종은 벌을 받아 마땅해요. 왕의 명령은 옳지 않았지만, 그 명령을 어긴 다니엘은 벌을 받아야 했어요. 가끔 우리는 하나님의 법을 이해할 수 없을 때도 있지만, 분명한 것은 하나님이 우리에게 주시는 법은 언제나 옳다는 사실이에요. 하나님은 무엇이 우리에게 제일 좋은지 잘 아시기 때문이에요.

**다니엘은 하나님께 신실했고, 하나님은 그를 구하셨어요.** 하나님은 다니엘을 사자들의 입에서 구해 내는 능력을 보이셨지만, 이것은 더 큰 이야기의 작은 일부일 뿐이에요. 하나님은 아들인 예수님을 통해 죄와 죽음이라는 훨씬 더 큰 문제에서 우리를 구원하셨어요.

**복/습/질/문**

1 다니엘은 하루에 몇 번 기도했나요? 3번 (단 6:10)

2 왕궁의 관리들을 새로운 명령을 내리도록 왕을 설득했어요. 왕은

어떤 새로운 명령을 만들었나요?

30일 동안 왕 외에 어떤 신에게도 기도할 수 없다는 명령을 내렸다 (단 6:7, 12)

3 다니엘을 벌해야 했을 때 왕은 어떻게 했나요?

다니엘을 구해 내려고 애썼다. 그리고 다니엘을 걱정하며 밤이 새도록 금식하며 잠을 자지 않았다 (단 6:14, 16~18)

4 다니엘을 보호하기 위해 하나님은 무슨 일을 하셨나요?

하나님은 천사를 보내 사자의 입을 막으셨다 (단 6:22)

5 하나님이 다니엘을 보호하셨다는 사실을 알게 된 후 왕은 어떻게 했나요?

나라에 조서를 내려 하나님이 다니엘에게 하신 일을 알리며 하나님을 높였다 (단 6:25~27)

6 **어떻게 해야 하나님께 순종할 수 있나요?**

**하나님이 우리에게 순종할 힘을 주신다고 믿어요.**

## 복음 초청

성경과 63쪽 복음 초청 가이드를 이용해서 아이들에게 그리스도인이 되는 법을 설명해 준다. 따로 상담해 줄 사람을 정해 주고 궁금한 점이 있으면 물어보도록 격려한다.

이 시간 예수님을 마음에 모시고 싶은 친구는 함께 기도해요.

## 기도

하나님, 하나님의 지혜와 능력을 찬양합니다. 예수님을 보내 우리를 죄와 죽음에서 구원하시고, 언제나 우리와 함께해 주셔서 감사합니다. 날마다 하나님을 더 알아가고, 어떤 상황에서도 하나님께 순종하는 우리가 되도록 힘을 주세요. 예수님의 이름으로 기도합니다. 아멘.

## 적용

TIP 설교 도입이나 적용으로 활용하거나 영상을 본 뒤 소그룹으로 나누어 풍성한 대화를 이어 갈 수 있습니다.

우리는 나쁜 일을 하지 않는 것이 순종이라고 생각할 때가 있어요. 하지만 옳은 일을 하는 것이 순종이라는 사실을 알고 있나요? 다음 영상을 함께 보기로 해요.

DVD 적용 예화 영상(지도자용 팩)을 보여 준다.

컵케이크를 만들 때 지시대로 만들어야 할까요? 아이들의 대답을 기다린다. 좋은 의도를 가졌다면 잘못된 일을 해도 될까요? 왜 제빵사의 지시대로 컵케이크를 만들어야 할까요?

사람들이 우리를 공격하면 왜 하나님께 순종하는 것이 어려울까요? 하나님은 우리가 믿지 않는 사람들과는 다르게 살아야 한다고 말씀하세요.

다니엘을 한번 생각해 보세요. 하나님께 순종하지 않고 왕에게 순종하기로 했다면 어떻게 되었을까요? 하나님은 어떻게 생각하셨을까요? 다니엘이 사자 굴에 던져지지 않았다면 사람들이 하나님의 능력을 볼 수 있었을까요? 우리가 죄를 지을 때 하나님은 우리를 어떻게 생각하실까요?

예수님이 죄인들을 위해 죽으셨다는 사실을 다시 일깨운다. 그렇기 때문에 우리는 하나님께 기꺼이 순종해야 해요. 하지만 우리가 죄를 지었어도 희망은 있어요. 하나님은 우리를 버리지 않으세요.

예수님이 십자가에서 우리를 대신해 죽으시고 살아나셨기 때문에, 이제 예수님을 믿으면 하나님은 우리의 죄를 용서하세요. 우리가 믿음이 없을 때조차 하나님은 신실하세요 (딤후 2:13 참조).

# 가스펠 소그룹
(10~20분)

## 나침반

### 무슨 말씀이었을까?

준비물 1단원 암송(108쪽), 화이트보드, 보드마커

① 화이트보드에 1단원 암송을 쓰고 두 부분으로 나눈다.

② 아이들을 2팀으로 나눈다.

③ A팀이 암송 구절의 앞부분을 읽으면 B팀이 따라 읽게 한다. B팀이 암송 구절의 뒷부분을 읽으면 A팀이 따라 읽게 한다.

④ 암송 구절에서 중요한 단어를 하나씩 지우면서 암송 대결을 한다.

⑤ 단어를 모두 지울 때까지 암송하는 팀이 이긴다.

— 1단원 암송은 지혜와 능력이 하나님께 있다는 사실을 떠올리게 해요. 하나님은 시간, 계절, 지도자까지 세상의 모든 일을 책임지세요!

## 보물 지도

### 성경 이야기 되새기기

준비물 성경

① 아이들에게 성경에서 다니엘 6장을 찾으라고 한다. 다니엘은 구약성경에 있다고 알려 준다.

② 다니엘서에 나오는 인물을 4명 이상 찾아 보라고 한다.

예) 다니엘, 사드락, 메삭, 아벳느고, 느부갓네살왕, 다리오왕 등.

③ 그런 다음 아래의 질문을 한다.

1 다니엘은 얼마나 자주 기도했나요?

매일 3번씩 (단 6:10)

2 왕궁의 관리들은 다리오왕에게 어떤 새로운 명령을 내리라고 설득했나요?

30일 동안 왕에게만 기도할 수 있다는 명령을 내리라고 했다 (단 6:7)

3 다니엘이 명령을 어겼다는 사실을 들었을 때 왕의 기분은 어떠했나요?

심히 근심하며 해가 질 때까지 다니엘을 구하려고 힘을 썼다 (단 6:14)

4 왕은 다니엘에게 벌을 내린 후 어떻게 했나요?

왕궁으로 돌아가 밤이 새도록 금식하고 잠을 자지 못했다 (단 6:16~18)

5 하나님은 다니엘의 믿음을 보시고 어떻게 하셨나요?

**다니엘은 하나님께 신실했고, 하나님은 그를 구하셨어요.**

6 다니엘을 보호하기 위해 하나님은 무슨 일을 하셨나요?

하나님은 천사를 보내 사자의 입을 막으셨다 (단 6:22)

7 하나님이 다니엘을 보호하셨다는 사실을 알게 된 후 왕은 어떻게 했나요?

사람들에게 하나님을 섬기라고 명령을 내렸다 (단 6:25~27)

**8 어떻게 해야 하나님께 순종할 수 있나요?**

**하나님이 우리에게 순종할 힘을 주신다고 믿어요.**

— 오늘도 성경 이야기를 귀 기울여 잘 들었군요! 하나님께 순종하는 것이 쉽지 않을 때도 있지만, **하나님이 우리에게 순종할 힘을 주신다고 믿어요!**

## 탐험하기

### 사자 굴 단어 찾기

준비물 학생용 교재 12쪽, 연필

| 다 | 하 | 오 | 징 | 어 | 과 | 일 |
|---|---|---|---|---|---|---|
| 리 | 리 | 나 | 리 | 다 | 니 | 엘 |
| 미 | 도 | 오 | 님 | 뚱 | 싸 | 니 |
| 기 | 망 | 사 | 사 | 자 | 굴 | 뇨 |
| 개 | 나 | 리 | 진 | 라 | 략 | 충 |
| 천 | 질 | 병 | 안 | 계 | 정 | 성 |
| 사 | 랑 | 투 | 전 | 하 | 명 | 령 |

다리오, 다니엘, 질투, 기도, 계략, 명령, 사자, 굴, 하나님, 천사, 안전, 충성

① 아이들에게 그림에 숨은 단어 12개를 찾아 ○표 하라고 한다.

② 찾은 단어들을 사용해 오늘의 성경 이야기를 문장으로 만들어 보라고 한다.

③ 성경 이야기를 통해 무엇을 깨달았는지 아이들과 이야기를 나눈다.

— 오늘 성경 이야기의 주인공은 누구였나요? 아이들의 대답을 기다린다. 맞아요. 다니엘이에요. 다니엘은 왕의 명령을 따르는 대신 하나님께 신실하게 기도했기 때문에 사자 굴에 던져졌어요. 그러나 하나님이 사자들의 입을 막아 그를 구하셨지요. 이 이야기는 하나님이 들려주실 이야기의 작은

일부일 뿐이에요. 하나님은 아들인 예수님을 통해 죄와 죽음에서 우리를 구원하셨어요.

### 바벨론에서의 하나님

**준비물** 학생용 교재 13쪽, 연필

① 하나님은 바벨론에서도 하나님의 백성과 함께하셨다는 사실을 떠올리면서, 각 이야기의 결말에 해당하는 것을 골라 ○표 하라고 한다.

② '나라면 어떻게 했을까?'를 생각해 보고 아이들과 함께 나누어 본다.

— 어려운 상황에서 하나님을 신실하게 따르는 것은 쉬운 일이 아니에요. 하지만 다니엘과 친구들은 하나님께 충성했어요. 어떻게 하나님께 순종할 수 있었을까요? 하나님이 함께하셨기 때문이에요. 기억하세요. 하나님은 언제나 우리와 함께하시며, 우리에게 순종할 힘을 주세요.

### 선교지에 보내는 편지 *

**준비물** 도화지, 연필, 색연필이나 사인펜, 커다란 봉투

① 교회가 후원하는 선교사들을 미리 파악해 둔다.

② 종이에 선교사들에게 보내는 편지를 함께 쓴다.

③ 직접 그림을 그리고 예쁘게 꾸미게 한다.

④ 선교사들의 섬김에 감사하며, 계속해서 하나님께 순종할 힘을 달라고 함께 기도한다.

— 지금도 다니엘처럼 어려운 상황에서 하나님께 순종하며 충성스러운 삶을 사는 분들이 계세요. 바로 선교사님들이에요. 선교사님들은 하나님의 말씀에 따라 새로운 곳으로 가기로 결단했고 순종했어요. 선교사님들이 어려운 상황에서도 힘과 용기를 내어 더욱 하나님께 신실하게 순종할 수 있도록 응원의 편지를 보내며 함께 기도해요.

## 보물 상자

### 나만의 기록장

**준비물** 학생용 교재 14쪽, 연필

① 일상생활이나 어떤 선택을 해야 하는 상황에서 어떻게 하나님께 순종할 수 있을지 물어본다.

② 이번 주 동안 하나님께 순종할 나의 약속들을 적어 보라고 한다.

③ 적은 내용을 함께 나누고, 한 주 동안 순종의 삶을 살 수 있도록 격려하며 기도한다.

— **하나님이 우리에게 순종할 힘을 주신다고 믿어요.** 큰 일뿐 아니라 작은 일을 결정할 때도, 하나님께 순종할 수 있도록 하나님이 도와주실 거예요.

### 메시지 카드

이번 주 메시지 카드로 부모님과 함께 오늘 배운 성경 이야기를 나누어 보라고 한다.

### 기도

하나님, 언제 어디서나 우리와 함께해 주셔서 감사합니다. 매일 매일 선택을 할 때마다 하나님을 기억하게 도와주세요. 어려운 상황에서도 하나님이 기뻐하시는 뜻을 선택하고 순종할 수 있도록 인도해 주세요. 예수님의 이름으로 기도합니다. 아멘.

# 4

# 하나님의 백성을 고향으로 데려오셨어요

스 1:1~2:2, 2:64~3:13

**단원 암송**

그는 때와 계절을 바꾸시며
왕들을 폐하시고 왕들을 세우시며
지혜자에게 지혜를 주시고
총명한 자에게 지식을 주시는도다
(단 2:21).

**성경의 초점**

어떻게 해야 하나님께 순종할 수 있나요?
하나님이 우리에게 순종할 힘을 주신다고 믿어요.

## 본문 속으로

하나님의 백성은 70년 동안 바벨론에서 살았습니다. 바벨론에서 죽은 사람도 있었습니다. 하나님 백성의 아들딸과 손주들이 바벨론에서 태어나 성장하기도 했습니다. 하지만 바벨론은 그들의 고향이 아니었습니다.

이스라엘 백성이 포로로 끌려가기 전에 하나님은 예레미야 선지자를 통해 "이 민족들은 칠십 년 동안 바벨론의 왕을 섬기리라(렘 25:11)"라고 말씀하셨습니다. 그리고는 "바벨론에서 칠십 년이 차면 내가 너희를 돌보고 나의 선한 말을 너희에게 성취하여 너희를 이곳으로 돌아오게 하리라(렘 29:10)"라고 말씀하셨습니다. 이제 하나님의 백성이 고향으로 돌아갈 시간이 되었습니다.

페르시아(바사)의 왕 고레스가 바벨론을 정복했습니다. 고레스는 북 이스라엘과 남 유다 땅을 포함해 바벨론 왕국까지 차지했습니다. 다음 해, 하나님은 고레스의 마음을 기적처럼 바꾸셨습니다. 하나님은 고레스왕이 칙령을 발표하게 하십니다. 포로로 잡혀 온 남 유다 사람들은 모두 자유롭게 조상의 고향으로 돌아갈 수 있다는 명령이었습니다.

포로 생활은 끝났습니다! 하나님의 백성은 그들의 땅으로 돌아가게 되었습니다. 그들은 다시 그들의 땅으로 돌아가 하나님의 특별한 백성으로 살게 되었습니다. 포로 중 첫 번째 무리가 지도자인 스룹바벨과 함께 고향에 돌아왔습니다. 스룹바벨은 느부갓네살에게 포로로 잡혀 바벨론으로 끌려간 남 유다의 왕 여호야긴의 손자였습니다(왕하 24:8~13 참조).

에스라 2장 64~65절에 따르면 5만 명 가까운 사람들이 고향으로 돌아왔습니다. 예루살렘에 도착하자 그들은 갈대아 사람들이 파괴한 성전을 다시 짓기 시작했습니다(대하 36:19 참조).

### ●● 티칭 포인트

성전은 하나님이 하나님의 백성을 만나는 장소였습니다. 예루살렘에 도착한 하나님의 백성은 하나님을 만나는 장소인 성전을 짓기 시작했다는 사실을 아이들에게 강조해 주십시오.

예수님은 하나님의 백성을 죄에서 구원하기 위해 이 땅에 오셨습니다. 예수님이 다시 오시면 이 땅을 회복시키시고 하나님의 백성과 영원히 함께하실 것입니다.

**주제**

하나님이 고레스왕의 마음을 바꾸셔서 이스라엘 백성이 고향으로 돌아오게 하셨어요.

**가스펠 링크**

스룹바벨이 하나님의 백성을 이끌고 예루살렘으로 돌아와 성전의 기초를 세운 것처럼, 예수님은 다시 오셔서 모든 것을 회복시키시고 우리와 영원히 함께하실 거예요.

## 하나님의 백성을 고향으로 데려오셨어요 스 1:1~2:2, 2:64~3:13

하나님의 백성이 바벨론으로 잡혀가기 여러 해 전, 하나님은 예레미야 선지자를 통해 포로 생활이 70년간 계속될 것이라고 말씀하셨어요. 그리고 70년이 지나면 고향으로 돌아오게 하겠다고 약속하셨어요. 하나님은 언제나 약속을 기억하시고, 지키시는 분이세요.

페르시아의 왕 고레스가 바벨론을 차지한 후, 하나님은 고레스의 마음을 바꾸셨어요. 고레스는 하나님의 뜻에 따라 "하나님의 백성은 예루살렘으로 돌아가 하나님의 성전을 다시 지어라. 그들에게 금과 은과 가축들을 주어라. 하나님의 성전을 짓는 데 필요한 물건들을 선물로 주어라"라고 명령했어요.

이제 포로 생활은 끝났어요! 하나님의 백성은 고향으로 돌아가게 되었어요. 사람들은 짐을 싸고, 고향으로 돌아갈 준비를 했어요. 주변 사람들은 왕이 명령한 대로 이스라엘 사람들에게 금과 은과 가축과 다른 값진 물건들을 선물로 주었어요.

스룹바벨과 대제사장은 하나님의 백성을 이끌고 예루살렘을 향해 떠났어요. 그들은 70년 동안 고향을 떠나 살았어요. 그 사이 바벨론에서 태어난 사람들은 하나님이 부모와 조상에게 주신 땅을 본 적조차 없었지요. 수만 명의 사람이 고향 땅으로 돌아가 자기 고향의 성에 정착했어요. 그러고는 하나님의 성전을 다시 짓기 위해 예루살렘에 모였어요.

먼저, 제사장들이 하나님의 율법대로 제단을 쌓았어요. 제단이 완성되자 그 위에 번제를 드려 하나님을 예배했어요. 백성은 특별한 의식에 관한 율법도 모두 지켰어요. 하나님이 알려 주신 대로 절기를 지키면서 하나님께 제물을 드렸어요.

그다음, 하나님의 백성은 성전 짓는 일을 할 석공과 목수에게 돈을 주고, 건물을 세우는 데에 사용할 백향목을 샀어요. 마침내 모든 것이 준비되자 사람들은 성전을 짓기 위한 기초 공사를 시작했어요. 기초 공사는 튼튼한 건물을 짓기 위해 가장 먼저 해야 하는 중요한 일이에요.

성전의 기초를 놓을 때 제사장들은 예복을 입고, 백성은 하나님을 찬양했어요. 백성은 "하나님은 선하시니 하나님의 인자하심이 영원하리라"라고 외치며 큰 소리로 노래를 불렀어요. 그들은 너무나 행복했어요! 이제 성전의 기초가 완성되었으니까요!

그러나 모든 사람이 기뻐한 것은 아니었어요. 솔로몬왕이 지은 첫 성전을 보았던 나이 든 사람들은 자기 눈앞에 성전 기초가 놓이는 것을 보고 목 놓아 울었어요. 우는 소리와 기뻐 외치는 소리는 한데 어우러져 멀리서도 들을 수 있을 만큼 크게 울려 퍼졌어요.

### ●● 가스펠 링크

스룹바벨은 하나님의 백성을 이끌고 예루살렘으로 돌아와 성전의 기초를 세웠어요. 성전은 하나님이 이 땅에 사는 하나님의 백성을 만나는 장소였어요. 예수님은 하나님의 백성을 구원하기 위해 이 땅에 오셨어요. 예수님이 다시 오시면 모든 것이 회복되고, 우리는 하나님 나라에서 영원히 하나님과 함께할 거예요.

# 가스펠 준비
(10~20분)

## 환영

도착하는 아이들을 반갑게 맞이하고 헌금, 출석, QT 등을 확인하며 격려한다. 새 친구가 있다면 소개한다. 편안한 분위기에서 안부를 물으며 오늘의 말씀과 관련된 화제로 이야기를 나눈다. 아이들 스스로 약속했거나 누군가로부터 약속을 받았던 경험을 떠올려 보라고 한다. 약속이 지켜졌을 때나 지켜지지 않았을 때 기분이 어땠는지 물어본다. 자발적으로 대화에 참여하도록 이끈다.

예) "최근에 누군가와 약속을 한 적이 있나요?", "어떤 것을 약속했나요?", "그 약속을 지켰나요?", "약속을 지키지 않았을 때 어떤 기분이 들었나요?" 등.

— 하나님이 하나님의 백성을 고향으로 돌아오게 하겠다고 약속하셨어요. 오늘 성경 이야기에서는 하나님이 그 약속을 지키신 일에 관해 배울 거예요. 돌아오기까지 힘든 여정이었지만, 하나님은 약속을 지키셨어요. 하나님은 언제나 약속을 지키세요!

## 마음 열기

### 하하하 vs 엉엉엉 *

① 아이들을 둥글게 앉히고 술래를 한 명 뽑는다.

② 술래가 가능한 진지하게 "하"라고 말하면, 술래의 왼쪽에 앉은 아이는 "하하"라고 말하라고 알려 준다.

③ 그 옆의 아이는 "하하하"라고 글자 수를 하나씩 늘리면서 왼쪽으로 한 바퀴 돌 때까지 "하"를 덧붙이라고 일러 준다.

④ 다시 술래 차례가 되면, 이번에는 "엉"이라고 말하면서 오른쪽으로 한 바퀴 진행하라고 한다.

⑤ 3명 이상의 아이가 "엉엉엉" 또는 "하하하"를 하면 단어와 방향을 바꿀 수 있다고 알려 준다.

— "하하하"는 웃음을, "엉엉엉"은 울음 소리를 의미해요. 어떤 사람이 이런 소리를 낼까요? 오늘 성경 이야기를 보면 70년 만에 고향에 돌아온 이스라엘 백성이 이와 같은 소리를 냈어요. 같은 무리에 있는 사람들이 왜 서로 다른 소리를 내었을까요? 무슨 일이 있었는지 함께 알아보기로 해요.

### 어떤 마음이었을까? *

준비물 신나는 찬양 1곡 또는 '주의 인자와 긍휼이' (지도자용 팩, 79쪽 가사)

① 아이들에게 찬양이 흐르는 동안 즐겁게 춤을 추다가 음악이 멈추면 움직이지 말고 그 자리에 멈추라고 한다.

② 인도자는 음악을 멈추고, 소리를 내어 1초부터 70초까지 센다.

③ 70초를 다 세기 전에 움직이는 아이들에게는 간단한 벌칙을 준다.

④ 정해진 시간 안에서 놀이를 반복한다.

— 70초 동안 아무것도 하지 않고 가만히 있는 것이 어땠나요? 이렇게 짧은 시간 동안 가만히 있는 것도 힘들고 어려웠는데, 이스라엘 백성은 무려 70년 동안을 포로로 잡혀 있었어요. 하지만 그들은 놀라운 하나님의 은혜로 포로에서 풀려나 고향으로 돌아올 수 있었어요. 이스라엘 백성의 마음은 어땠을지 함께 알아보기로 해요.

## 들어가기

준비물 **요리사 복장(앞치마, 요리사 모자), 의자, 사진 앨범**

천천히 걸어 들어와 앞치마와 요리사 모자를 벗고 무대 한가운데에 놓인 의자에 앉는다. 사진 앨범을 펼쳐 몇 장 넘긴다.

앨범을 바라보며 이 앨범에는 우리 가족의 추억이 가득 담겨 있어요. 피자 가게를 열었던 날의 신문 스크랩, 할아버지와 할머니의 연애 편지, 할머니의 사진까지…. 여러분도 알다시피 이 식당은 할머니의 요리 비법으로 피자를 만들어요.

아, 할머니가 이 식당을 보시고 우리 음식을 맛보실 수 있다면 얼마나 좋을까요! 물론 할머니를 직접 만나본 적은 없어요. 할머니의 고향에 가본 적도 없지만, 이야기는 정말 많이 들었어요. 할머니는 음식을 넉넉히 만들어 마을의 가난한 사람들과 나눠 먹었대요. 할머니는 언제나 사람들에게 잘해 주셨대요.

할머니를 직접 만나 어떻게 사람들을 사랑하셨는지 지켜볼 수 있으면 좋겠어요. 그리고 할머니가 여기 오시면, 이제 요리는 그만하시고 앉아서 편히 쉬시라고 하고 싶어요.

이 앨범에는 과거의 추억과 이야기들이 가득 담겨 있어요. 수십 년 전, 50년, 60년, 70년 전의 일들이 담긴 사진도 있어요. 이 앨범이 없었다면 그런 일들이 있었는지도 몰랐을 거예요!

오늘 우리는 하나님의 백성이 70년 동안 포로 생활을 하면서 잊지 않았던 약속에 관한 이야기를 들을 거예요. 하나님의 백성은 그 약속에 대해 자주 이야기하면서 자녀들에게도 말해 주었을 거예요. 하나님이 약속을 지키셨을까요? 함께 알아보아요.

## 연대표

지난 몇 주 동안 우리는 다니엘과 친구들에 관해, 그리고 그들이 하나님께 어떻게 순종했는지에 관해 배웠어요. 연대표에서 오늘의 성경 이야기를 가리킨다. 오늘은 하나님의 백성이 어떻게 하나님을 따랐는지, 그리고 하나님이 하나님의 백성에게 하신 약속을 어떻게 지키셨는지 배울 거예요.

다니엘과 친구들이
하나님께 순종했어요

사드락, 메삭,
아벳느고를 구하셨어요

다니엘을
구하셨어요

하나님의 백성을
고향으로 데려오셨어요

성전을
다시 지었어요

에스더를 왕비로
세우셨어요

## 성경의 초점

성경 이야기를 듣기 전에 먼저 '성경의 초점'을 말해 볼까요? **어떻게 해야 하나님께 순종할 수 있나요?** 대답을 기억하는 사람이 있나요? 아이들의 대답을 기다린다. 맞아요! **하나님이 우리에게 순종할 힘을 주신다고 믿어요.**

## 성경 이야기

DVD 에스라 1~3장을 펴고, 설교 영상(지도자용 팩)을 보여 주거나 이야기 성경을 들려준다.

성경 이야기 속에 나오는 사람들의 반응이 정말 다양했어요! 하나님의 약속이 이루어져 고향으로 돌아와 기뻐하는 사람들이 있었는가 하면 오랫동안 이야기를 들었지만 한 번도 본 적 없는 곳에 와서 불안해하는 사람도 있었어요. 고향이 예전의 모습과 달라져 혼란스러운 사람도 있었지요. 이 모든 일의 중심에는 하나님의 백성을 돌보시는 하나님이 계셨어요. **하나님이 고레스왕의 마음을 바꾸셔서 이스라엘 백성이 고향으로 돌아오게 하셨어요.** 하나님은 하나님의 백성을 고향에 돌아오게 하겠다고 말씀하신 약속을 지키셨고, 하나님의 백성에게 순종할 힘을 주셨어요. 우리도 마찬가지예요. 우리가 어떻게 느끼고 무엇을 해야 하든 **하나님이 우리에게 순종할 힘을 주신다고 믿어요.** 스룹바벨은 하나님의 백성을 이끌고 예루살렘으로 돌아와 성전의 기초를 세웠어요. 성전은 하나님이 이 땅에 사는 하나님의 백성을 만나는 장소였어요. 예수님은 하나님의 백성을 구원하기 위해 이 땅에 오셨어요. 예수님이 다시 오시면 모든 것이 회복되고, 우리는 하나님 나라에서 영원히 하나님과 함께할 거예요.

**복/습/질/문**

1 하나님은 고레스가 다스린 지 몇 년에 하나님의 백성을 고향으로 돌려보내셨나요?

원년 또는 첫해 (스 1:1)

2 누가 고향에 돌아갈 준비를 했나요?

유다와 베냐민 족장들, 제사장들, 레위 사람들 (스 1:5)

3 예루살렘의 성전이 있던 자리에 도착했을 때 사람들은 무엇을 드렸나요?

금, 은, 제사장들의 옷 (스 2:69)

4 고향으로 돌아온 사람들은 제일 먼저 무엇을 만들었나요?

제단 (스 3:1~3)

5 성전의 기초가 놓였을 때 어떤 사람들은 왜 기뻐서 소리쳤나요?

고향으로 돌아와서 기뻤고, 무너진 하나님의 집이 다시 세워지기 시작했기 때문이다 (스 3:11)

6 성전의 기초가 놓였을 때 어떤 사람들은 왜 울음을 터뜨렸나요?

그들은 첫 성전을 보았고, 이제 이 성전의 기초가 놓임을 보았기 때문이다 (스 3:12)

## 복음 초청

성경과 63쪽 복음 초청 가이드를 이용해서 아이들에게 그리스도인이 되는 법을 설명해 준다. 따로 상담해 줄 사람을 정해 주고 궁금한 점이 있으면 물어보도록 격려한다.

이 시간 예수님을 마음에 모시고 싶은 친구는 함께 기도해요.

## 기도

하나님, 언제나 약속을 지키시는 신실한 하나님이심을 찬양합니다. 하나님께서 우리에게 언제나 신실하신 것처럼, 우리도 언제나 하나님께 충성하고 순종할 수 있도록 힘을 주세요. 우리를 사랑하시고 언제나 함께하시는 하나님이 나의 하나님이어서 참 기쁩니다. 예수님의 이름으로 기도합니다. 아멘.

## 적용

TIP 설교 도입이나 적용으로 활용하거나 영상을 본 뒤 소그룹으로 나누어 풍성한 대화를 이어 갈 수 있습니다.

하나님의 백성이 드디어 오랜 포로 생활을 끝내고 고향으로 돌아오게 되었어요. 그들은 말할 수 없이 기뻤을 거예요. 그 일을 생각하면서 다음 영상을 함께 보아요.

DVD 적용 예화 영상(지도자용 팩)을 보여 준다.

고향을 생각하면 어떤 느낌이 드나요? 저는 '고향'이라는 단어를 들으면 마음이 포근해지고 편안해져요. **하나님이 고레스왕의 마음을 바꾸셔서 이스라엘 백성이 고향으로 돌아오게 하셨어요.** 선하신 하나님이 그들과의 약속을 지키셨어요. 언젠가는 예수님이 돌아오셔서 하나님의 백성 모두를 위해 더 큰 집을 짓고, 우리는 예수님과 영원히 함께 지낼 거예요. 예수님을 믿는 우리에게는 이 세상보다 더 나은 세상이 기다리고 있어요. 하나님은 우리에게 영원히 하나님과 함께 거할 집을 주겠다고 약속하셨어요. 영원한 집을 생각하면 어떤 면에서 기분이 좋아지나요?

## 나침반

### 교회를 지어요!

준비물 1단원 암송(108쪽), 화이트보드, 보드마커, 지우개, 포스트잇

① 화이트보드에 간단하게 교회 모양을 그린다. (네모난 건물에 세모 지붕을 그리고 그 위에 십자가를 그린다.)

② 암송 구절의 단어에 포스트잇을 붙여 가려 둔다.

③ 아이들에게 가려진 곳에 들어갈 단어를 맞히라고 한다.

④ 아이들이 맞히지 못하면 교회 그림에서 선을 하나씩 지운다.

⑤ 단어를 맞히면 지운 선을 하나씩 다시 그려 그림을 완성한다.

⑥ 5분 동안 얼마나 많은 '교회'들을 지을 수 있는지 도전해 보라고 한다.

— 정말 잘했어요! 이 성경 구절은 하나님이 언제나 찬양받으셔야 한다는 사실을 일깨워 주어요. 오늘 성경 이야기는 하나님이 찬양받으실 또 다른 이유를 보여 주어요. 하나님은 언제나 약속을 지키세요! **하나님이 고레스왕의 마음을 바꾸셔서 이스라엘 백성이 고향으로 돌아오게 하셨어요.**

## 보물 지도

### 스피드 성경 퀴즈

준비물 성경

① 아이들에게 성경에서 에스라 1~3장을 찾으라고 한다.

② 인도자가 질문을 하면 정답을 아는 사람은 재빨리 일어나 정답을 말하라고 일러 준다.

③ '성경의 초점'을 물으면 아는 사람은 모두 일어나 함께 대답을 외치라고 말해 준다.

1 백성을 고향에 돌아오게 하겠다는 하나님의 약속에 관해 말한 선지자는 누구인가요? 예레미야 (스 1:1)

2 하나님의 백성은 얼마나 오랫동안 포로 생활을 했나요?
70년 (렘 29:10)

3 예루살렘으로 돌아온 백성은 무엇을 했나요?
제사장들이 제단을 다시 만들고 하나님께 번제를 드렸다 (스 3:2~3)

4 성전의 기초가 놓이자 이스라엘 백성은 하나님께 찬양하면서 무엇이라고 외쳤나요?
"주는 지극히 선하시므로 그의 인자하심이 이스라엘에게 영원하시도다" (스 3:11)

5 어떻게 해야 하나님께 순종할 수 있나요?
하나님이 우리에게 순종할 힘을 주신다고 믿어요.

— **하나님이 고레스왕의 마음을 바꾸셔서 이스라엘 백성이 고향으로 돌아오게 하셨어요.** 그래서 스룹바벨은 하나님의 백성을 이끌고 예루살렘으로 돌아왔어요. 예수님은 하나님의 백성을 구원하기 위해 이 땅에 오셨어요. 언젠가 예수님이 다시 오시면, 하나님의 모든 백성을 위한 고향을 회복하실 거예요. 그리고 우리는 거기서 예수님과 영원히 함께 지내게 될 거예요.

## 탐험하기

### 뚝딱! 뚝딱! 건설하기

준비물 성경, 학생용 교재 16쪽, 연필

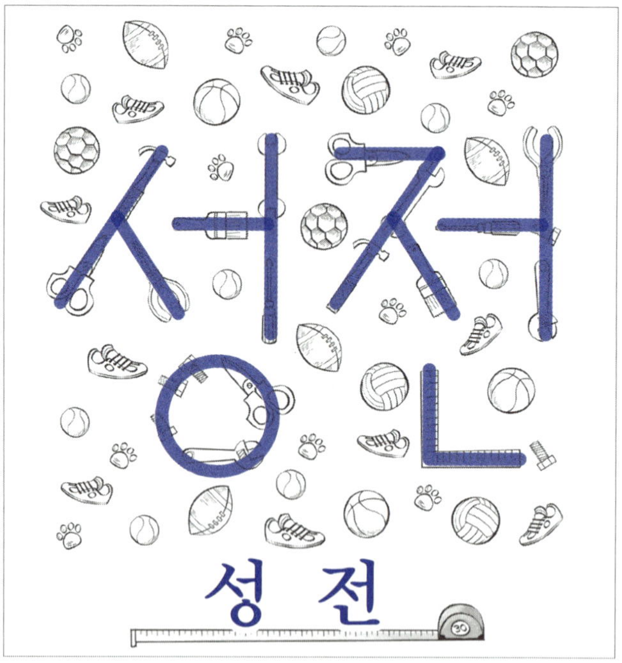


① 건설에 필요한 도구를 찾아 색칠하게 한다.

② 색칠해 나타난 단어를 빈칸에 적으라고 한다.

③ 고향으로 돌아온 이스라엘 백성이 무엇을 다시 지었는지 빈칸에 적으라고 한다.

— 고향으로 돌아온 하나님의 백성은 성전을 다시 짓기 시작했어요. 솔로몬이 지었던 성전이 왜 무너졌는지 기억하나요? 하나님 말씀에 불순종했기 때문이에요. 무너진 성전을 다시 지을 때까지 얼마나 기다려야 했나요? 70년이라는

시간을 기다렸어요. 하나님은 우리가 바로 거룩한 하나님의 성전이라고 말씀하세요. 하나님이 하나님의 백성을 고향으로 돌아오게 하시고 성전을 다시 지어 회복시키신 것처럼, 우리에게도 예수님을 보내 불순종으로 무너진 우리 마음을 회복시키시고 하나님의 집에서 예수님과 영원히 함께하게 하세요.

### 무슨 일이 일어났나요?

준비물 학생용 교재 17쪽, 연필

① 보기에 있는 단어 중 알맞은 것을 빈칸에 넣어 문장을 완성해 보라고 한다.

② 완성된 주제를 함께 큰 소리로 반복해서 읽는다.

— **하나님이 고레스왕의 마음을 바꾸셔서 이스라엘 백성이 고향으로 돌아오게 하셨어요.** 하나님은 온 세상을 다스리시고, 또 약속을 지키시는 신실한 분이에요. 우리도 하나님처럼 신실한 하나님의 자녀가 되길 바라고 있지요. 마음은 그러고 싶지만 잘 되지 않는다고요? 그래도 포기하지 마세요. 하나님은 우리에게 순종할 힘을 주시니까요.

### 구호 상자 만들기 *

준비물 커다란 상자, 비닐 지퍼백, 생필품(샴푸, 치약, 비누, 속옷, 양말, 화장지, 수건, 빗 등), 성경

① 생필품들을 담을 구호 상자를 미리 만들어 둔다. 미리 학부모나 교회에 기증 물품을 부탁해도 좋다.

② 아이들에게 비닐 지퍼백에 생필품들을 종류대로 넣어 구호 상자에 담으라고 한다.

③ 준비한 구호 상자를 소방서나 지역 재난 구호 기관에 전달한다.

TIP 구호 상자를 다 만들면 그 구호 물품을 받을 사람들을 위해 함께 기도한다.

— 이 구호 상자에 담긴 물품들은 집을 멀리 떠난 사람들에게 전달될 거예요. 집에 들어갈 때마다 따뜻한 가정을 주신 하나님께 감사드리세요. 영원히 하나님과 함께 거할 곳을 주시겠다는 하나님의 약속을 생각하면 더 감사한 마음을 가질 수 있어요.

## 보물 상자

### 나만의 기록장

준비물 학생용 교재 18쪽, 연필

① 하나님과 함께 사는 집은 어떤 모습일지 생각해 보라고 한다.

② 그곳에 있으면 어떤 기분이 들지 글로 써 보라고 한다.

— 하나님과 함께 지낼 집은 만물이 새로워지는 곳이 될 것이라고 하나님이 성경을 통해 약속하셨어요. 더 이상의 고통이나 슬픔, 아픔이 없는 곳이지요. 모든 죄는 씻겨 나갈 거예요. 이 새로운 집을 상상해 보세요! 그곳에 있으면 어떤 기분일까요?

### 메시지 카드

이번 주 메시지 카드로 부모님과 함께 오늘 배운 성경 이야기를 나누어 보라고 한다.

### 기도

신실하신 하나님, 예수님을 통해 우리의 죄를 용서해 주시고, 하나님의 자녀가 되게 해 주셔서 감사합니다. 언제나 변함 없으신 하나님을 신뢰하며 하나님 말씀에 순종할 수 있도록 도와주세요. 다시 오실 예수님을 기대하며 날마다 믿음으로 살아가게 해 주세요. 예수님의 이름으로 기도합니다. 아멘.

# 5

# 성전을 다시 지었어요

스 4:1~7, 5:1~5, 6:1~22

**단원 암송**

그는 때와 계절을 바꾸시며
왕들을 폐하시고 왕들을 세우시며
지혜자에게 지혜를 주시고
총명한 자에게 지식을 주시는도다
(단 2:21).

**성경의 초점**

어떻게 해야 하나님께 순종할 수 있나요?
하나님이 우리에게 순종할 힘을 주신다고 믿어요.

# 본문 속으로

예루살렘에 성전의 기초를 놓은 지 얼마 지나지 않아 공사가 중단되었습니다. 그러나 선지자 학개와 스가랴의 격려로 하나님의 백성은 다시 성전을 짓기 시작했습니다. 공사가 멈추고 15년 가까이 지난 때였습니다.

이 당시 페르시아의 왕은 다리오였습니다. 페르시아 제국은 어마어마하게 커서, 다리오왕은 각 지역을 다스릴 총독을 임명했습니다. 닷드내라는 총독이 유다 땅을 포함한 주변 지역을 다스리게 되었습니다.

닷드내는 하나님의 백성이 하는 일을 눈여겨보며 관심을 가졌습니다. 그러고는 왕에게 편지를 보냈습니다. "과연 고레스왕이 조서를 내려 하나님의 이 성전을 예루살렘에 다시 건축하라 하셨는지" 조사해 달라고 요청했습니다(스 5:17 참조).

조사해보니 과연 바벨론의 문서 보관소에 고레스 왕의 칙령이 있었습니다. 왕은 닷드내에게 사람들이 성전과 성을 다시 지을 수 있게 도우라고 지시합니다.

### 티칭 포인트

하나님의 섭리하심으로 하나님의 백성이 성전을 완성했다는 사실을 아이들에게 알려 주십시오. 하나님은 왕의 마음을 바꾸셨고, 어려움을 극복할 힘을 주셨습니다. 하나님의 백성은 기쁜 마음으로 하나님께 성전을 바치고, 유월절을 지켰습니다.

학개 2장 9절에서 하나님은 이 두 번째 성전의 영광이 첫 번째 성전보다 더 클 것이라고 선언하십니다. 이 예언은 하나님의 아들 예수님을 통해 이루어집니다. 예수님은 자신이 성전보다 더 크다고 말씀하셨습니다(마 12:6 참조).

성전은 그저 그림자였을 뿐이라는 사실을 예수님에게서 발견합니다. 하나님은 건물 안에만 계시지 않았습니다. 그러나 예수님 안에서 신성이 충만하게 살아 계십니다(골 2:9 참조). 예수님은 우리의 대제사장이십니다. 예수님은 우리를 위해 가장 신성한 장소로 들어가셨습니다(히 6:19~20 참조). 제사장은 동물의 피를 드렸지만, 예수님은 자신의 피를 단번에, 그리고 완전히 드렸습니다(히 9:25~26 참조). 예수님으로 인해 우리는 지성소에 들어갈 수 있습니다(히 10:19~22 참조).

**주 제**

하나님은 하나님의 백성이 성전을 다시 짓도록 도우셨어요.

**가스펠 링크**

성전이 완성되자 하나님의 백성에게 하나님을 예배할 장소가 생겼어요. 이제 하나님은 하나님의 백성과 직접 만나세요. 예수님 덕분에 우리는 성전이 아니라도 하나님과 함께 지낼 수 있어요.

# 성전을 다시 지었어요 스 4:1~7, 5:1~5, 6:1~22

예루살렘으로 돌아온 하나님의 백성은 성전을 다시 짓기 시작했어요. 성전의 기초 공사를 마쳤지만, 성전이 다시 세워지는 것을 싫어하는 적들이 공사를 방해했어요. 결국, 사람들은 성전 공사를 중단했어요. 하나님은 선지자 학개와 스가랴를 보내 백성에게 용기를 불어 넣으셨어요. 스룹바벨과 예수아 등 지도자들은 다시 힘을 내어 성전 공사를 시작했어요.

이때 닷드내라는 이름의 총독이 성전 짓는 광경을 지켜보았어요. 닷드내 총독은 페르시아의 다리오왕 밑에서 일하면서 유다와 그 주변 지역을 다스리고 있었어요.

닷드내 총독은 성전 일을 하는 스룹바벨과 다른 사람들에게 "누가 이 성전을 다시 지으라고 허락했소?"라고 물었어요. 그러고는 다리오왕에게 이렇게 편지를 보냈어요. "다리오왕께 문안드립니다. 유다 사람들이 위대한 하나님의 성전을 짓고 있어 편지를 드립니다. 그들 말로는 고레스왕이 성전을 다시 지으라는 명령을 내렸다고 합니다. 부디 왕실 기록을 조사해 이 말이 사실인지 확인해 주십시오." 닷드내 총독이 답장을 기다리는 동안 하나님의 백성은 계속 성전을 지었어요.

편지를 받은 다리오왕은 관리들에게 왕실 기록을 찾아보게 했어요. 보관된 서류 중에서 고레스왕의 명령이 기록된 두루마리를 발견했지요. 두루마리에는 "하나님의 성전을 다시 세워라. 희생제사와 번제를 드리는 성전을 다시 지어라"라고 쓰여 있었어요. 심지어 성전을 짓는데 필요한 비용을 주겠다는 내용도 있었어요.

다리오왕은 닷드내 총독에게 답장을 보냈어요. "예루살렘에서 성전을 짓는 사람들을 그대로 두어라. 그들을 괴롭히지 말고 공사를 중단시키지 말라. 그들이 필요한 것은 무엇이든 주어라. 누구든 하나님의 성전을 파괴하려고 하면 하나님이 그를 멸망시키실 것이다!"

닷드내 총독과 관리들은 왕의 명령을 따랐어요. 유다 지도자들은 공사를 계속 진행해 드디어 하나님의 성전을 완성했어요! 사람들은 기뻐하며 성전을 바치는 제사를 드렸어요. 제사장들과 성전에서 하나님을 섬길 사람들도 뽑았지요.

그런 다음 하나님의 백성은 유월절을 지켰어요. 유월절 양을 잡고 유월절 음식을 먹었어요. 하나님이 하나님의 백성을 돕도록 다리오왕의 마음을 바꾸셨기 때문에 하나님의 백성은 너무나 기쁘고 행복했어요. 마침내 성전이 완성되었어요.

### ●● 가스펠 링크

성전이 완성되자 하나님의 백성에게 하나님을 예배할 장소가 생겼어요. 오랜 시간이 지난 후, 하나님은 예수님을 보내 하나님의 백성과 함께하게 하셨어요. 예수님은 십자가에서 죽으시고 살아나셔서 우리 죄의 문제를 해결하셨어요. 이제 하나님은 성전에만 계시지 않고 하나님의 백성과 직접 만나세요. 예수님 덕분에 우리는 성전이 아니라도 하나님과 함께 지낼 수 있어요.

# 가스펠 준비
(10~20분)

## 환영

도착하는 아이들을 반갑게 맞이하고 헌금, 출석, QT 등을 확인하며 격려한다. 새 친구가 있다면 소개한다. 편안한 분위기에서 안부를 물으며 오늘의 말씀과 관련된 화제로 이야기를 나눈다. 아이들에게 봉사활동이나 발표회처럼 멋진 일을 해냈거나 큰일을 끝마쳤던 경험이 있는지 물어본다. 그때 기분이 어땠는지 이야기를 나누어 본다. 자발적으로 대화에 참여하도록 이끈다.

예) "큰일을 해냈을 때 기분이 어땠나요?", "발표회를 멋지게 끝냈을 때나 정말 멋진 일을 해낸 후 그 일을 축하했나요?" 등.

— 여러분은 열심히 노력했고, 그 결과를 멋지게 축하한 것 같아요! 오늘 우리는 성경 이야기를 통해 하나님의 백성이 하나님이 하라고 하신 위대한 일을 어떻게 해냈는지 들을 거예요. 그들은 일을 끝마치고 함께 기뻐하며 축하했어요. 그리고 무엇보다 그들을 위해 모든 일을 도우신 하나님께 영광을 돌렸어요.

## 마음 열기

### 도전! 블록 쌓기 *

준비물 종이 접시, 블록, 스톱워치

① 아이들을 2명씩 짝짓게 하고, 각 팀에게 종이 접시와 블록 5개씩 준다.

② 60초 안에 한 아이의 머리 위에 종이 접시를 올리고, 접시 위에 블록 5개를 쌓아야 한다고 말해 준다.

③ 60초 안에 성공하지 못하면 제한 시간을 늘려 다시 한다.

— 정말 잘했어요, 여러분! 머리 위에 블록을 쌓는 일이 쉽지 않았지요? 오늘 우리는 블록을 쌓는 일보다 훨씬 어렵고 복잡한 건축에 관한 이야기를 들을 거예요. 이스라엘 백성은 성전을 건축하기 위해 몇 년 동안 열심히 일했고, 결국 완성했어요.

### 파티 준비하기 *

준비물 색 도화지, 색종이, 가위, 색연필, 사인펜, 끈

① 아이들에게 준비물을 나누어 주고, 파티에 필요한 물건들을 만들어 보라고 한다.

예) 파티용 가랜드, 고깔모자, 방명록 등.

② 완성된 물건들을 예배실 곳곳에 붙인다.

TIP 다과를 준비해 예배 후 파티를 열어도 좋다.

— 하나님은 이스라엘 백성을 고향으로 돌아오게 하겠다는 약속을 지키셨어요. 오늘 우리는 이스라엘 백성이 하나님의 성전을 완성하기 위해 얼마나 열심히 일했는지 들을 거예요. 성전 건축은 쉽지 않았어요. 마침내 그 일을 끝냈을 때 하나님의 백성은 기뻐하며 함께 축하했어요.

## 들어가기

준비물 평상복, 여행용 가방, 비행기 표

평상복을 입고 들뜬 모습으로 등장한다. 손에는 여행용 가방과 비행기 표를 들고 있다.

제가 왜 이렇게 신났는지 알아맞혀 보세요! 아이들의 대답을 기다린다. 깜짝 놀랄 선물을 받았어요! 지난주에 제가 앨범을 보면서 이웃을 위해 음식을 베푸셨던 할머니 이야기를 했던 것 기억하나요? 그리고 제가 할머니 고향에 얼마나 가고 싶은지, 할머니가 살아 계시다면 할머니를 여기 모시고 와서 제가 요리하는 걸 보여드리고 싶다고 이야기했던 것 기억하나요?

그래요, 저는 할머니의 고향에 가게 되었어요! 동료들이 저에게 이탈리아에 가는 비행기 표를 선물했지 뭐예요! 뭐라고요? 제가 이탈리아 사람처럼 보이지 않는다고요? 누가 뭐래도 전 4분의 1 이탈리아 사람이예요! 이제 이탈리아에서 가장 유명하고 맛있는 피자를 맛보고, 새로운 요리법도 배울 거예요! 마카로니와 제 얼굴만큼 큼지막한 미트볼이 들어간 스파게티도 잔뜩 먹고 올 거예요.

## 연대표

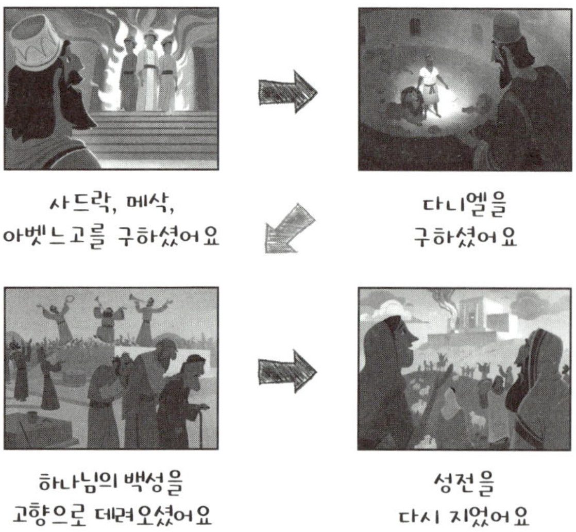


오늘 들을 성경 이야기도 정말 신나는 내용이에요! 우리는 기쁨에 가득 찬 수많은 사람에 관한 이야기를 들을 거예요. 하나님은 포로로 잡혀가는 백성에게 그들을 고향으로 돌아오게 하겠다고 약속하셨고, 70년을 기다리신 후에 약속을 지키셨어요. 그리고 고향으로 돌아온 백성은 하나님의 뜻에 따라 성전을 다시 짓기 시작했지요. 연대표에서 오늘의 성경 이야기를 가리킨다. 오늘의 성경 이야기는 "성전을 다시 지었어요"예요.

## 성경의 초점

오늘의 성경 이야기를 듣기 전에, 먼저 '성경의 초점'을 확인해 볼까요? 제가 질문하면 모두 가장 신나는 목소리로 대답하는 거예요. 준비되었나요? **어떻게 해야 하나님께 순종할 수 있나요?** 아이들의 대답을 기다린다. 맞아요! **하나님이 우리에게 순종할 힘을 주신다고 믿어요.**

## 성경 이야기

DVD 에스라 4~6장을 펴고, 설교 영상(지도자용 팩)을 보여 주거나 이야기 성경을 들려준다.

하나님의 백성이 성전을 다시 짓기 시작했을 때, 몇 가지 어려움에 부딪혔어요. 결국, 성전 짓는 일을 멈추게 되었지요. 하지만 하나님은 그러기를 바라지 않으셨어요. 하나님은 하나님의 사람들을 격려하기 위해 학개 선지자와 스가랴 선지자를 보냈어요.

용기를 얻은 백성은 성전을 다시 짓기 시작했어요. 지도자인 스룹바벨이 사람들을 도왔어요. 하나님의 백성은 이전보다 더 큰 어려움에 부딪혔지만, 이번에는 중단하지 않았어요. **하나님은 하나님의 백성이 성전을 다시 짓도록 도우셨어요.** 성전이 완성되자 드디어 하나님의 백성에게 하나님을 예배할 장소가 생겼어요.

오랜 시간이 지난 후, 하나님은 아들이신 예수님을 보내 하나님의 백성과 함께하게 하셨어요. 예수님은 십자가에서 죽으시고 살아나셔서 우리 죄의 문제를 해결하셨어요. 이제 하나님은 성전에만 계시지 않고 하나님의 백성과 직접 만나세요. 예수님 덕분에 우리는 성전이 아니라도 하나님과 함께 지낼 수 있어요. 예수님은 십자가에서 죽으시고 부활하시면서 모든 것을 바꾸셨어요.

하나님은 언제나 하나님의 백성과 함께하시기 때문에 우리는 성전에 가지 않아도 하나님을 만날 수 있어요. 하나님은 성령님을 보내 예수님을 믿는 모든 사람과 함께하게 하셨어요. 성령님은 하나님의 백성이 하나님을 사랑하고 하나님께 순종하도록 이끌어 주세요.

**복 / 습 / 질 / 문**

1 하나님의 백성은 왜 성전 짓는 일을 그만두었나요?
 적들이 공사를 멈추도록 방해했다 (스 4:23~24)

2 하나님의 백성은 언제 성전을 다시 짓기 시작했나요?
 선지자 학개와 스가랴가 하나님의 이름으로 사람들을 격려한 후 (스 5:1~2)

3 다리오왕에게 성전 건축에 관해 편지를 쓴 사람은 누구인가요?
 유다 땅을 다스리던 닷드내 총독과 아바삭 사람 (스 5:6)

4 다리오왕은 닷드내가 보낸 편지를 읽고 어떻게 했나요?
 고레스왕이 성전을 지으라고 명령한 내용이 적힌 두루마리를 발견하고, 닷드내에게 성전을 완성하도록 도우라고 답했다 (스 6:1~8)

5 성전을 완성한 후 하나님의 백성은 무엇을 했나요?
 하나님을 찬양하고, 제물을 드리고, 유월절을 기념했다 (스 6:13~22)

## 복음 초청

성경과 63쪽 복음 초청 가이드를 이용해서 아이들에게 그리스도인이 되는 법을 설명해 준다. 따로 상담해 줄 사람을 정해 주고 궁금한 점이 있으면 물어보도록 격려한다.

이 시간 예수님을 마음에 모시고 싶은 친구는 함께 기도해요.

## 기도

하나님, 하나님은 세상을 다스리는 놀라운 분이십니다. 우리를 사랑하시고 하나님께 순종할 힘을 주셔서 감사합니다. 무엇보다 예수님을 통해 우리를 구원하시고 하나님과 영원히 함께할 수 있는 새 생명을 주셔서 감사합니다. 하나님, 사랑합니다. 예수님의 이름으로 기도합니다. 아멘.

## 적용

TIP 설교 도입이나 적용으로 활용하거나 영상을 본 뒤 소그룹으로 나누어 풍성한 대화를 이어 갈 수 있습니다.

여러분이 한 일 중에 가장 큰일은 무엇이었나요? 그 일을 끝내는데 시간이 얼마나 걸렸나요?

DVD 적용 예화 영상(지도자용 팩)을 보여 준다.

왜 우리는 때때로 일을 포기하거나 그만두고 싶을까요? 무슨 일을 하든 열심히 노력하는 것은 왜 중요할까요? 열심히 노력하면서 어떻게 하나님께 영광을 돌릴 수 있을까요?

성경은 우리에게 무슨 일을 하든지 하나님의 영광을 위해 하라고 말해요(고전 10:31 참조). 아무리 힘든 일을 할 때라도 우리는 하나님께 순종하며 영광을 돌릴 수 있어요. **어떻게 해야 하나님께 순종할 수 있나요? 하나님이 우리에게 순종할 힘을 주신다고 믿어요.**

# 가스펠 소그룹
(10~20분)

## 나침반

### 이어 말하기

준비물 1단원 암송(108쪽)

① 아이들을 둥글게 세운다.

② 한 사람씩 돌아가며 암송 구절을 어절 단위로 나누어 순서대로 암송하게 한다.

③ 암송 구절을 외우지 못하거나 틀리게 말하면 그 자리에 앉으라고 한다.

④ 다음 순서의 아이부터 암송 구절 외우기를 다시 시작한다.

⑤ 정해진 시간 안에서 놀이를 반복한다.

## 보물 지도

### 묻고 답하고

준비물 성경

① 아이들에게 성경에서 에스라 4~6장을 찾으라고 한다.

② 에스라는 구약성경에 있으며, 역대하와 느헤미야 사이에 있다고 알려 준다.

③ 인도자가 질문하면, 정답을 아는 아이는 일어서서 답을 외치라고 한다.

④ 정답을 잘 말하지 못하면 성경에서 답을 찾을 수 있도록 도와준다.

1 하나님의 백성은 어디에 있던 하나님의 성전을 다시 건축하기 시작했나요?

예루살렘 (스 5:2)

2 백성이 계속해서 성전을 건축하도록 격려한 선지자 2명은 누구였나요?

학개와 스가랴 (스 5:1~2)

3 남 유다와 그 주변의 땅을 다스리던 페르시아의 총독은 누구였나요?

닷드내 (스 5:3)

4 그 당시 페르시아의 왕은 누구였나요?

다리오 (스 6:13)

5 다리오왕은 닷드내에게 어떻게 하라고 지시했나요?

일하는 사람들을 방해하지 말고 그들에게 필요한 것은 무엇이든 주라고 명령했다 (스 6:6~9)

6 하나님의 백성은 성전을 완성한 후 어떤 절기를 지켰나요?

유월절 (스 6:19)

7 **어떻게 해야 하나님께 순종할 수 있나요?**

**하나님이 우리에게 순종할 힘을 주신다고 믿어요.**

— 오늘은 성경 이야기를 통해 하나님이 어떻게 하나님의 백성에게 순종할 힘을 주시고, 또 하나님이 원하시는 일을 이루셨는지 배웠어요. 성전을 완성한 하나님의 백성은 기뻐하며 하나님을 예배했어요!

## 탐험하기

### 성전은 어떤 모습일까?

준비물 학생용 교재 20쪽, 연필이나 색연필

① 아이들에게 그림 조각 아래에 좌표가 있다고 말해 준다.

② 좌표가 알려 주는 위치에 그림을 똑같이 그려 넣어 보라고 한다.

③ 완성한 그림을 서로 보여 주며, 누가 가장 똑같이 그렸는지 확인한다.

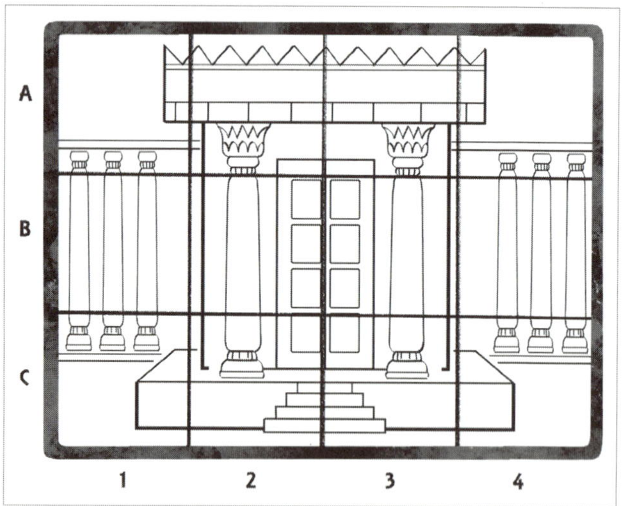


— 오늘 우리는 하나님의 백성이 성전 건축을 끝마치기 위해 노력한 이야기를 들었어요. 그 과정에서 하나님의 백성이 성전을 완성하지 못하도록 방해한 사람들도 있었어요. 하지만 이스라엘 백성은 하나님이 하나님께 순종할 힘을 주신다고 믿었어요. 그리고 마침내 성전을 완성했어요!

### 어떻게 성전이 완성되었을까?

준비물 학생용 교재 21쪽, 연필

① 그림 속에 숨은 글자를 모아 빈칸에 넣어 문장을 완성해 보라고 한다.

② 완성된 문장을 함께 큰 소리로 읽는다.

— 성전이 완성되자 하나님의 백성에게 하나님을 예배할 장소가 생겼어요. 오랜 시간이 지난 후, 하나님은 예수님을 보내 하나님의 백성과 함께하게 하셨어요. 예수님은 십자가에서 죽으시고 살아나셔서 우리 죄의 문제를 해결하셨어요. 이제 하나님은 성전에만 계시지 않고 하나님의 백성과 직접 만나세요. 예수님 덕분에 우리는 성전이 아니라도 하나님과 함께 지낼 수 있어요.

### 이스라엘 왕국의 역사 흐름 보기 *

DVD 준비물 미로 찾기(지도자용 팩), 연필

① O X 문제를 풀며 미로를 빠져나가 보라고 한다.

② O X 문제 내용은 '왕국의 성립-분열-포로-해방'에 관련된 이야기라고 말해 준다.

— 오늘 성경 이야기 부분에 오기까지 이스라엘 백성에게 많은 일들이 있었어요! 이스라엘 백성은 끊임없이 하나님께 불순종했고, 하나님은 끊임없이 백성에게 기회를 주셨어요. 이제 **하나님은** 불순종으로 바벨론의 포로가 되었던 하나님의 백성을 고향으로 다시 데려오셨고, **하나님의 백성이 성전을 다시 짓도록 도우셨어요.** 성전은 하나님이 하나님의 백성과 만나고, 하나님의 백성이 하나님을 예배하는 장소예요. 하지만 예수님이 오셔서 우리 죄의 문제를 해결하셨기 때문에 우리는 성전이 아니어도 언제나 어디서나 하나님과 함께할 수 있어요.

## 보물 상자

### 나만의 기록장

준비물 학생용 교재 22쪽, 연필

① 아이들에게 하나님께 드리고 싶은 것이 있는지 물어본다.

② 하나님을 찬양하고 하나님께 영광을 돌릴 방법에는 어떤 것들이 있는지 글로 써 보라고 한다.

— 이스라엘 백성은 하나님께 드리기 위해 많은 물건과 동물들을 제물로 가져왔어요. 그들을 고향으로 돌아오게 하시고, 성전을 짓도록 도우신 하나님을 찬양하고 예배했어요. 하루하루 사는 동안 우리는 여러 가지 방법으로 하나님께 영광을 돌리며 찬양할 수 있어요.

### 메시지 카드

이번 주 메시지 카드로 부모님과 함께 오늘 배운 성경 이야기를 나누어 보라고 한다.

### 기도

하나님의 백성과 언제나 함께하시는 하나님을 찬양합니다. 예수님을 보내 주셔서 우리를 구원하시고, 언제 어디서나 하나님을 예배할 수 있게 해 주셔서 감사합니다. 날마다 하나님을 찬양하고 하나님께 영광 돌리며 살아갈 수 있도록 인도해 주세요. 예수님의 이름으로 기도합니다. 아멘.

# 2 단원 공급하시는 하나님

많은 유다 사람이 고향으로 돌아갔지만, 페르시아에 남은 사람들도 있었습니다. 하나님은 에스더를 통해 페르시아에 남은 하나님의 백성을 보호하셨습니다. 그리고 느헤미야는 백성을 이끌고 예루살렘의 성벽을 재건합니다. 하지만 고향에 돌아온 후에도 그들은 여전히 하나님께 온전히 순종하지 않았습니다. 하나님은 말라기를 통해 예배하기를 게을리하지 말라고 경고하시고, 메시아에 대해 말씀하신 후 400년 동안 침묵하셨습니다.

에스더를
왕비로
세우셨어요

에스더를 통해
하나님의 백성을
구하셨어요

느헤미야가
예루살렘의 소식을
들었어요

예루살렘 성벽을
다시 세웠어요

에스라가
하나님의 율법을
읽었어요

말라기가
하나님의 말씀을
전했어요

### DVD 카운트다운 – 숲 속 달리기

카운트다운 영상(지도자용 팩)을 틀고 예배 준비 자세를 취하도록 격려한다. 예배가 시작되는 시간에 영상이 끝나도록 맞추어 놓는다. 영상이 끝나기 30초 전에 예배 인도자는 정해진 위치에 서서 조용히 기도하는 모범을 보인다.

### DVD 무대 배경 – 운동장

실내 운동장의 탈의실처럼 꾸민다. 긴 의자를 놓고, 물병, 가벼운 역기, 수건, 줄넘기 등 다양한 물건들을 늘어놓는다. 화면에 '철인 3종 경기' 배경 이미지(지도자용 팩)를 띄운다.

# 6

# 에스더를 왕비로 세우셨어요

에 1~4장

**단원 암송**

여호와의 인자와 긍휼이 무궁하시므로
우리가 진멸되지 아니함이니이다
이것들이 아침마다 새로우니
주의 성실하심이 크시도소이다
(애 3:22~23).

**성경의 초점**

하나님은 약속을 지키시나요?
신실하신 하나님은 언제나 약속을
지키세요.

## 본문 속으로

고레스가 페르시아의 왕이었을 때 이스라엘 백성의 포로 생활은 끝이 났습니다. ('유다 출신'이라는 뜻으로 요즘은 유대인이라 부르는) 하나님의 백성 중 일부는 고향인 유다로 돌아가 성전과 성, 그리고 그들의 삶을 재건했습니다. 하지만 이교도들 사이에서 살아가는 것이 더 편해 페르시아에 남은 사람들도 있었습니다.

크세르크세스로도 알려진 아하수에로가 페르시아의 왕이 되었습니다. 왕비였던 와스디는 왕에게 반항해 쫓겨났고, 젊은 유다 여성 에스더가 아하수에로왕의 왕비가 되었습니다. 에스더는 자신이 유다 사람이라는 사실을 왕에게 알리지 않았습니다.

에스더는 고아였기 때문에 사촌인 모르드개의 손에서 자랐습니다. 모르드개는 왕궁에 사는 에스더와 계속 연락했습니다.

어느 날, 왕은 아각 사람 하만을 왕실의 중요한 자리에 앉혔습니다. 그러고는 사람들에게 하만에게 절하라고 명령하기까지 했습니다. 하지만 모르드개는 절하지 않았습니다.

하만은 사울왕을 몰락시킨 아말렉 왕 아각의 자손이었습니다. 이스라엘 민족과 아말렉 민족은 서로 사이가 나빴습니다. 하만은 모르드개의 반항에 화가 났습니다. 모르드개만 벌주는 것이 아니라 그 왕국에 사는 모든 유다 사람을 죽이려고 계획했습니다.

하만의 계획을 알게 된 모르드개는 에스더에게 도움을 요청했습니다. 에스더는 힘 있는 자리에 있었고, 유다 사람들은 그의 민족이었습니다. 하지만 왕에게 도움을 청하는 일은 굉장히 위험했습니다. 왕의 허락 없이 왕에게 다가갔다가는 죽을 수도 있기 때문입니다. 그럼에도 에스더는 자기 민족에게 닥친 어려움을 왕에게 설명하기 위해 위험을 무릅쓰고 왕에게 나가기로 했습니다.

### ●● 티칭 포인트

하나님의 백성이 살아남은 것은 하나님의 계획 안에서 정말 중요한 사건이었음을 아이들에게 알려 주십시오. 하나님의 계획은 구세주를 아브라함의 자손으로 보내시는 것이었습니다. 하만이 악한 계획을 세워 하나님의 계획을 방해하려고 했지만, 하나님이 바로잡으셨습니다. 하나님은 에스더를 사용해 하나님의 백성을 구하고 아들이신 예수님을 이 땅에 보낼 길을 준비하겠다는 계획을 실천하셨습니다.

**주 제**

에스더는 자기 민족을 돕기로 했어요.

**가스펠 링크**

하나님은 어떠한 상황에서도 하나님의 백성을 구하고 아들이신 예수님을 이 땅에 보낼 길을 준비하겠다는 계획을 실천하셨어요.

## 에스더를 왕비로 세우셨어요 에 1~4장

페르시아의 왕 고레스는 하나님의 백성을 고향으로 돌려보내고 예루살렘 성전을 다시 짓게 했어요. 하나님의 백성은 유다 출신이었기 때문에 '유다 사람'으로 불렸어요. 어떤 유다 사람들은 유다로 돌아가 성전을 다시 지었지만, 많은 유다 사람이 페르시아에 그대로 남아 있었어요.

시간이 흘러, 아하수에로가 페르시아의 새로운 왕이 되었어요. 아하수에로는 자신의 말을 듣지 않는 왕비를 쫓아냈어요. 이제 왕에게는 새 왕비가 필요했고, 에스더를 왕비로 뽑았어요. 에스더는 매우 아름다웠어요. 에스더는 유다 사람이었고, 사촌인 모르드개가 에스더를 키웠지요. 하지만 에스더는 자신이 유다 사람이라는 사실을 왕에게 말하지 않았어요.

어느 날, 모르드개는 왕궁의 높은 관리인 하만이 유다 사람들을 모두 죽이려 한다는 소식을 듣게 되었어요. 모르드개는 안절부절못했어요! 그는 유다 사람이었고, 그가 사랑하는 민족이 모두 죽임을 당하는 것이 싫었어요. 모르드개와 유다 사람들은 슬피 울었어요.

무슨 일이 일어났는지 몰랐던 에스더는 모르드개에게 사람을 보내 유다 사람들이 왜 슬피 울며 괴로워하는지 물었어요. 모르드개는 하만의 악한 계획에 관해 이야기했어요. 그리고 왕에게 나가 유다 사람들을 구해 달라고 부탁해 보라고 전했어요.

에스더는 "왕이 먼저 부르지 않는 한 아무도 왕에게 나아갈 수 없습니다. 왕이 왕권을 상징하는 *홀을 내밀면서 '너는 살 수 있다'라고 하지 않으면 죽임을 당합니다"라고 모르드개에게 말을 전했어요.

모르드개는 에스더에게 한 번 더 이야기했어요. "네가 왕궁에 있다고 해서 혼자 살아남을 것이라고 생각하지 말아라. 네가 이때를 위해 왕비의 자리에 오르게 되었는지 누가 알겠느냐?"

에스더는 모르드개에게 유다 사람들을 모아 자신을 위해 금식해 달라고 요청했어요. 유다 사람들이 3일 동안 밤낮으로 먹지도 마시지도 않고 하나님께 도와 달라고 기도하고 나면, 왕에게 나아가겠다고 말했어요. 에스더는 유다 사람들을 살리기 위해 기꺼이 죽을 각오가 되어 있었어요.

### ●● 가스펠 링크

하나님의 계획은 구세주를 아브라함의 자손으로 보내시는 것이었어요. 하만이 악한 계획을 세워 하나님의 계획을 방해하려고 했지만, 하나님이 바로잡으셨어요. 하나님은 에스더를 사용해 하나님의 백성을 구하고 아들이신 예수님을 이 땅에 보낼 길을 준비하겠다는 계획을 실천하셨어요.

*홀 : 임금이나 높은 자리에 있는 사람이 권위를 나타내기 위해 손에 쥐던 긴 막대나 지팡이. '규'라고도 함.

# 가스펠 준비
(10~20분)

## 환영

도착하는 아이들을 반갑게 맞이하고 헌금, 출석, QT 등을 확인하며 격려한다. 새 친구가 있다면 소개한다. 편안한 분위기에서 안부를 물으며 오늘의 말씀과 관련된 화제로 이야기를 나눈다. 아이들에게 대통령이나 나라를 다스리는 사람이 되면 무엇을 하고 싶은지 물어본다. 자발적으로 대화에 참여하도록 이끈다.

예) "권력을 가지게 되면 무엇을 하고 싶나요?", "대통령이나 나라를 다스리는 사람들에게는 어떤 책임이 있나요?" 등.

— 오늘은 힘 있는 자리에 오른 에스더에 관한 성경 이야기를 들을 거예요. 에스더는 유다 백성에게 도움이 필요할 때, 자기 힘을 어떻게 사용할지 결정해야 했어요. 에스더가 어떤 결정을 내렸는지 함께 알아보기로 해요.

## 마음 열기

### 누구를 뽑을까? *

준비물 여러 가지 어린이 책(DVD), 화이트보드와 보드마커(선택)

① 아이들에게 여러 가지 책을 보여 준다.
② 이 중에서 어떤 책을 읽고 싶은지 함께 골라 보라고 한다.
③ 왜 그 책을 선택했는지 물어본다.
④ 왕이나 왕비를 뽑아야 한다면, 어떤 사람을 선택할 것인지 물어본다.
⑤ 왕이나 왕비가 되려면 어떤 자질을 갖추어야 하는지, 어떻게 하면 좋은 왕이나 왕비가 될 수 있을지 물어본다.
⑥ 아이들의 의견을 화이트보드에 적는다.

— 결정하는 것이 특별히 어려운 경우가 있어요. 어떤 책을 읽을지 결정하는 일은 간단하지만, 새로운 지도자를 뽑는 일은 어려운 일이에요! 오늘 성경 이야기에서는 한 왕이 왕비를 선택한 일이 나와요. 잘 들어 보세요.

### 격려 포스터 *

준비물 화이트보드, 보드마커, 2절지, 사인펜, 색연필, 접착테이프

① 아이들에게 하기 어려운 일들은 무엇인지 물어보고, 아이들의 생각을 화이트보드에 적는다.
② 그 일들이 왜 어려운지, 그 일들을 해내기 위해서는 무엇이 필요한지 물어본다.
③ 아이들을 3~4명씩 팀으로 나누고, 2절지와 필기구를 나누어 준다.
④ 팀별로 용기를 북돋워 주는 내용의 포스터를 만들어 보라고 한다.
⑤ 완성한 포스터를 예배실 벽에 붙인다.

— 오늘 성경 이야기에는 어려운 일을 할 수 없다고 생각하는 에스더를 격려한 사람이 나와요. 하나님이 에스더를 어떻게 사용하실지 기대해 보세요.

# 가스펠 **설교**
(15~30분)

## 들어가기

**준비물** **운동복, 운동 가방, 운동화, 수영복, 자전거 헬멧, 긴 의자(벤치)**

운동복을 입고 운동 가방을 들고 들어온다. 바닥에 운동 가방을 내려놓고 긴 의자(벤치)에 앉는다.

안녕하세요, 여러분! 저는 특별 경기를 위해 훈련을 시작하려고 해요. 훈련을 위해 필요한 것도 모두 준비했어요. 운동화, 수영복, 자전거 헬멧도 있어요.

제가 어떤 훈련을 하는지 알아맞힐 수 있나요? 아이들의 대답을 기다린다. 바로 '철인 3종 경기'예요! 철인 3종 경기가 무엇인지 아는 사람 있나요? 아이들의 대답을 기다린다. 철인 3종 경기는 정말 힘든 경기예요. 수영, 자전거 타기, 달리기로 먼 거리를 가야 하거든요.

그런 경기에 참여하기 위해 훈련하려면 많은 시간과 인내심이 필요해요. '인내'가 뭔지 아는 사람 있어요? 아이들의 대답을 기다린다.

'인내'는 힘들고 어려운 일이 있어도 참고 꾸준히 해낼 수 있는 능력이에요. 사실 인내는 어떤 성경 이야기를 떠올리게 해요. 오늘 우리는 아주 힘든 시간을 보내며 인내해야 했던 에스더에 관해 배울 거예요. 에스더는 3일 동안 먹지도 않고 기도했어요. 에스더 이야기를 통해 우리는 하나님이 약속을 지키신다는 사실을 알게 될 거예요.

## 연대표

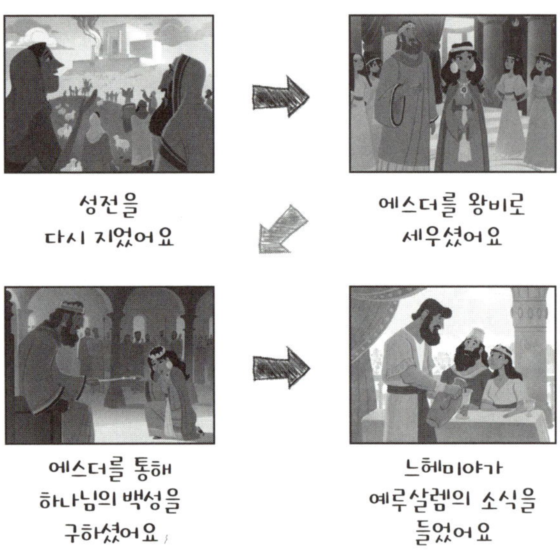


하나님의 백성은 다른 나라로 끌려가 포로 생활을 했어요. 70년이 지난 후, 하나님이 고향으로 돌아가게 하셨지만, 그들 중 많은 사람이 페르시아에 남았어요. 하나님은 오늘 성경 이야기에 등장하지 않아요. 마치 침묵하시는 것처럼 느껴지지만 하나님은 하나님의 백성을 잊지 않으셨어요! 연대표에서 오늘의 성경 이야기를 가리킨다. 하나님은 에스더가 페르시아의 왕비가 되게 하시고, 그를 통해 유다 백성을 구하셨어요.

## 성경의 초점

에스더에 관한 성경 이야기를 들으면서 '성경의 초점' 질문에 대한 답을 생각해 보세요. **"하나님은 약속을 지키시나요?"** 오늘 성경 이야기에서 하나님이 무엇을 하셨는지 배우면서 우리는 그 대답을 알게 될 거예요.

## 성경 이야기

DVD 에스더 1~4장을 펴고, 설교 영상(지도자용 팩)을 보여 주거나 이야기 성경을 들려준다.

우와! 정말 멋진 이야기예요! 하나님의 백성은 정말 무섭고 절망적인 상황에 처했어요. 당시 하나님의 백성은 유다 사람이라고 불렸어요. 하나님이 하나님의 백성을 고향으로 돌아가게 하셨지만, 그중 일부는 바벨론 때부터 포로 생활을 하던 페르시아에 남았어요.

새로운 왕비를 찾고 있던 페르시아의 왕은 에스더를 왕비로 선택했어요. 왕은 에스더가 유다 사람인지 몰랐어요. 하나님은 하만이 유다 사람들을 죽이려 한다는 사실을 미리 아셨고, 하나님의 백성을 보호하기 위해 그 상황을 사용하셨어요. 에스더의 사촌인 모르드개는 하나님이 에스더를 사용해 하나님의 백성을 구하실 것이라고 생각했어요. 모르드개는 에스더에게 "네가 이때를 위해 왕비의 자리에 오르게 됐는지 누가 알겠느냐?"라고 말했어요(에 4:14 참조).

이제 에스더는 자기 민족을 도와야 할지 말지 결정해야 했어요. 당시 페르시아에는 왕이 부르지 않으면 함부로 왕 앞에 나가지 못한다는 규칙이 있었어요. 왕이 부르지도 않았는데 다가갔다가는 죽을 수도 있었지요. **에스더는** 왕에게 나아갔다가 죽는다 하더라도 **자기 민족을 돕기로 했어요.**

이제 '성경의 초점' 질문에 대한 답을 말해 볼까요? **하나님은 약속을 지키시나요? 신실하신 하나님은 언제나 약속을 지키세요.** 하나님의 계획은 구세주를 아브라함의 자손으로 보내시는 것이었어요. 하만이 악한 계획을 세워 하나님의 계획을 방해하려고 했지만, 하나님이 바로잡으셨어요. 하나님은 에스더를 사용해 하나님의 백성을 구하고 아들이신 예수님을 이 땅에 보낼 길을 준비하겠다는 계획을 실천하셨어요.

하나님은 우리의 모든 상황을 책임지세요. 때때로 힘들고 어려운 일을 겪을 때도 언제나 하나님이 우리와 함께하신다는 사실을 믿을 수 있어요.

**복 / 습 / 질 / 문**

**1** 에스더가 새로운 왕비가 되기 전의 왕비는 누구였나요?

와스디 (에 1:10~11)

**2** 유다 사람들을 죽이려던 사람은 누구였나요?

하만 (에 3:5~6)

**3** 하만은 왜 유다 사람들을 죽이려고 했나요?

유다 사람인 모르드개가 자신에게 무릎 꿇어 절하지 않아 화가 났기 때문이다 (에 3:2~5)

**4** 왜 에스더는 왕에게 하만의 계획을 이야기하는 것이 두려웠나요?

왕이 부르지 않았는데 만나러 갔다가는 죽을 수도 있기 때문이다 (에 4:9~11)

**5 하나님은 약속을 지키시나요?**

**신실하신 하나님은 언제나 약속을 지키세요.**

## 복음 초청

성경과 63쪽 복음 초청 가이드를 이용해서 아이들에게 그리스도인이 되는 법을 설명해 준다. 따로 상담해 줄 사람을 정해 주고 궁금한 점이 있으면 물어보도록 격려한다.

이 시간 예수님을 마음에 모시고 싶은 친구는 함께 기도해요.

## 기도

하나님, 에스더의 이야기를 통해 우리가 하나님께 신실하지 않을 때에도 하나님은 언제나 우리에게 신실하시다는 사실을 알려 주셔서 감사합니다. 예수님을 보내 우리 대신 십자가에 죽게 하시고 다시 살리셔서 우리를 죄에서 구원하신 하나님의 사랑에 감사드립니다. 언제나 우리를 돌보시고, 우리와 함께하시는 하나님의 신실하신 사랑을 날마다 기억하며 살아가게 도와주세요. 예수님의 이름으로 기도합니다. 아멘.

## 적용

TIP 설교 도입이나 적용으로 활용하거나 영상을 본 뒤 소그룹으로 나누어 풍성한 대화를 이어 갈 수 있습니다.

다른 사람의 생명을 살린 적이 있나요? 위험에 빠진 컵케이크처럼 어려움에 처한 누군가를 도와준 적이 있나요? 이 질문을 생각하며 다음 영상을 함께 보아요.

DVD 적용 예화 영상(지도자용 팩)을 보여 준다.

누군가를 도와야 할 상황에 처했던 경험이 있는지 아이들과 이야기를 나누어 본다.

사람들은 죄 때문에 하나님에게서 멀어졌어요. 사람들이 하나님과 다시 가까워지려면 도움이 필요해요. 예수님만이 사람들을 죄에서 구원하실 수 있어요. 우리는 예수님을 모르는 사람들을 어떻게 도와줄 수 있을까요? 아이들의 대답을 기다린다. 하나님은 그들이 구원받을 수 있도록 우리가 하나님의 구원 계획을 사람들에게 전하기를 바라세요.

# 가스펠 소그룹
(10~20분)

## 나침반

**어깨를 맞대고 말해요**

"여호와의 인자와 긍휼이 무궁하시므로 우리가 진멸되지 아니함이니이다 이것들이 아침마다 새로우니 주의 성실하심이 크시도소이다"(애 3:22~23).

준비물 2단원 암송(109쪽)

① 아이들을 나란히 한 줄로 세운다.

② 끝에 있는 아이부터 시작해 한 명씩 옆 사람을 바라보며 암송 구절을 한 어절씩 말하라고 한다.

③ 암송 구절을 다시 읽을 때는 두 어절 혹은 세 어절씩 말하게 한다.

—— '진멸되다'라는 단어의 뜻을 아나요? '진멸되다'는 '모조리 죽임을 당해 없어지다'라는 뜻이에요. 그렇다면 진멸되지 않는다는 것은 우리가 죽임을 당하지 않을 것이라는 뜻일까요? 예수님이 이 땅에 다시 오시기 전에는 우리 모두 육체적으로 죽음을 맞이해요. 하지만 하나님은 예수님을 죽은 자들 가운데서 다시 살리셨듯이, 언젠가 우리도 죽은 자 가운데서 다시 살리셔서 영원히 하나님과 함께 살게 하겠다고 약속하셨어요!

이 성경 말씀은 우리를 향한 하나님의 사랑과 신실하심을 일깨워 주어요. 한 주 동안 이 암송 구절을 잘 외워 보아요.

**하나님의 말씀을 외워요 ***

준비물 학생용 교재 51~54쪽, 스테이플러, 꾸미기 재료(사인펜, 색연필, 스티커 등)

① 학생용 교재 51~54쪽의 '구약 단원 암송'을 이용하여 암송 책을 만들게 한다.

② 다양한 재료로 자신만의 암송책을 만들게 한다.

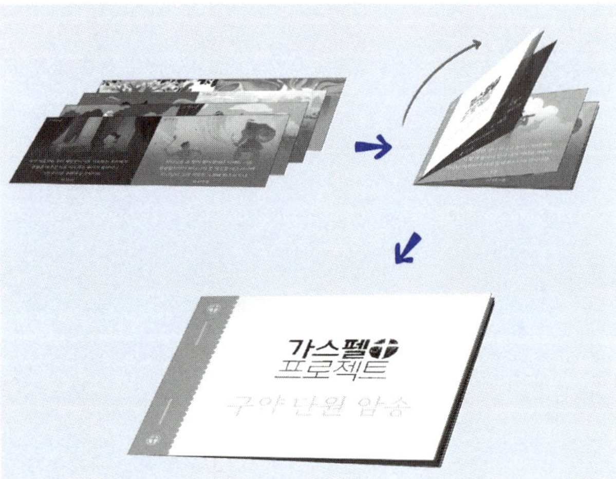


—— 가스펠 프로젝트 구약 전체에 대한 암송책을 만들어 보았어요. 지금까지 외운 15개의 말씀을 모두 기억하고 있나요? 성경은 우리의 마음을 변화시킬 힘이 있어요. 말씀을 기억하며 우리의 삶을 변화시킬 하나님을 생각하길 바라요.

## 보물 지도

**빠른 눈과 손**

준비물 성경

① 아이들을 '약속'팀과 '신실'팀으로 나눈다.

② 성경에서 에스더 1~4장을 찾으라고 한다.

③ 인도자가 질문하면, 답을 아는 아이는 두 손을 번쩍 들고 팀 이름을 말하라고 한다.

④ 인도자는 손을 든 아이들 중에 한명을 지목해 답을 말할 기회를 준다.

⑤ 정답을 많이 맞힌 팀이 이긴다.

1 에스더는 구약에 있나요, 신약에 있나요? 구약

2 에스더 앞에는 무슨 책이 있나요? 느헤미야

3 에스더 다음에 무슨 책이 있나요? 욥기

4 에스더는 모두 몇 장인가요? 10장

5 에스더의 사촌은 누구인요? 모르드개 (에 2:5)

6 페르시아 왕은 왜 새로운 왕비가 필요했나요?
왕비가 왕의 말을 따르지 않아 내쫓았기 때문이다 (에 1:15)

7 하만은 어떤 악한 계획을 세웠나요?
유다 사람들을 모두 죽이려 했다 (에 3:6)

8 하만의 악한 계획을 들은 유다 사람들은 어떻게 했나요?
크게 애통하여 금식하며 울며 부르짖고 굵은 베 옷을 입고 재에 누웠다 (에 4:3)

9 왕이 먼저 부르지 않았는데 왕에게 다가간 사람은 어떻게 될 수 있었나요? 죽임을 당할 수도 있다 (에 4:11)

10 에스더는 모르드개와 유다 사람들에게 어떻게 하라고 말했나요?
자신을 위해 3일 동안 금식하며 기도해 달라고 했다 (에 4:16)

**11 하나님은 약속을 지키시나요?**
**신실하신 하나님은 언제나 약속을 지키세요.**

—— 정말 잘했어요! **에스더는 자기 민족을 돕기로 했어요.** 에스더는 하나님이 하나님의 백성을 반드시 도와주실 것이

라고 믿었지요. 하나님의 계획은 구세주를 아브라함의 자손으로 보내는 것이었어요. 유다 사람들과 모든 하나님의 백성이 구원을 받는 것이 하나님 계획의 핵심이었어요!

## 탐험하기

### 누가 말했을까요?

**준비물** 학생용 교재 24쪽, 49쪽 말풍선 꼬리, 성경

① 성경에서 에스더 1~4장을 찾으라고 한다.

② 학생용 교재 49쪽의 말풍선 꼬리를 잘라 각 대사와 대사의 주인공을 연결해 붙이라고 한다.

③ 한 인물이 2개 이상의 말을 했을 수도 있다고 말해 준다.

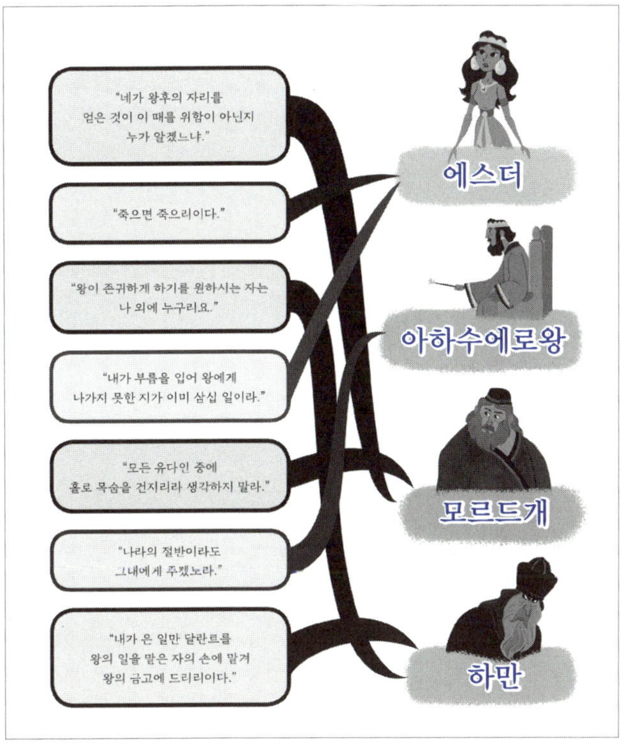


오늘 우리는 페르시아의 왕비가 된 에스더가 자신의 지위를 이용해 어떻게 자기 민족을 도왔는지를 배웠어요. 하만은 악한 음모로 하나님의 계획을 중단시키려고 했지만, 하나님은 에스더를 사용해 하나님의 백성을 구하고, 아들이신 예수님을 이 땅에 보낼 길을 준비하셨어요.

### 에스더 퀴즈

**준비물** 학생용 교재 25쪽, 연필

① 아이들에게 빈칸에 들어갈 단어 중 알맞은 것을 골라 ○표 하라고 한다.

② 완성한 성경 이야기를 함께 큰 소리로 읽는다.

페르시아 / 바벨론 의 왕에게는 새로운 왕비가 필요했고
에스더를 왕비로 뽑았어요.
에스더는 자신이 유다 사람이라고 / 과부라고 왕에게 말하지 않았어요.
어느 날 모르드개는 사울 / 하만 이
유다 사람들을 모두 죽이려고 한다는 소식을 듣게 되었어요.
모르드개와 유다 사람들은 슬피 울었어요 / 춤추었어요 .
모르드개는 에스더에게 왕 / 경찰 에게 나가
유다 사람들을 무시해 달라고 / 구해 달라고
부탁해 보라고 전했어요.
에스더는 모르드개에게 유다 사람들을 모아 금식하라고 / 자라고 했어요.
그들이 하나님께 즐겁게 해 달라고 / 도와 달라고 기도하고 나면
왕에게 가겠다고 했어요.
에스더는 유다 사람들을 가르치기 / 살리기 위해
기꺼이 여행할 / 죽을 것을 각오했어요.

우리는 하나님이 에스더를 왕비로 만들어 하나님 백성을 대신해 말하게 하셨다는 성경 이야기에서 하나님의 자비를 볼 수 있어요. 그뿐만 아니라 우리를 대신해 십자가에 달리신 예수님을 통해서도 하나님의 자비를 보게 되지요. 예수님은 죽음을 이기고 부활하심으로 우리를 죄에서 구하셨어요.

### 우리가 도와줄게! *

**준비물** 색인 카드, 사인펜

① 아이들에게 색인 카드를 3장씩 나누어 주고, 카드에 각각 숫자 1, 2, 3을 쓰라고 한다.

② 숫자가 보이지 않게 카드를 뒤집은 후, 자리에서 일어나 2명씩 짝을 지으라고 한다.

③ 인도자가 "뒤집어!"라고 하면, 카드를 한 장씩 뒤집으라고 말한다.

④ 카드를 뒤집어 서로 다른 숫자가 나온 팀은 자리에 앉으라고 한다.

⑤ 서로 같은 숫자의 카드를 뒤집은 팀은 앉은 팀 중 한 팀을 지목해 놀이에 다시 참여하게 할 수 있다고 알려 준다.

⑥ 짝을 바꾸어 놀이를 반복한다.

— 모두 참 잘했어요. 짝과 같은 숫자의 카드를 뒤집었을 때 기분이 어땠나요? 아이들의 대답을 기다린다. 그러면 다른 팀을 도와줄 수 있는 위치가 되었지요. 다른 친구들이 놀이에 다시 참여할 수 있도록 했을 때 기분이 어땠나요? 누군가를 도와줄 수 있는 재미있는 놀이였어요.
오늘 성경 이야기에서 에스더는 심각한 상황에 처했어요. 유다 사람들이 큰 어려움에 빠졌거든요. 왕비였던 에스더는 유다 사람들을 도울 수 있는 자리에 있었어요. **에스더는 자기 민족을 돕기로 했어요.**

### 지역 사회 봉사자 지원하기 *

준비물 **편지지, 편지봉투, 연필**

① 교회 안이나 주변에 지역사회를 위해 봉사하는 사람이 있는지 미리 확인해 둔다.
예) 소방관, 경찰관, 의사, 간호사, 군인, 선교사 등.
② 소그룹 모임에 그들을 초청해 아이들에게 소개한다.
③ 아이들에게 봉사자에 관해 궁금한 점들을 질문하게 한다. 질문을 미리 준비할 수도 있다.
· 사람들을 돕기 위해 무슨 일을 하시나요?
· 이 일을 얼마나 오랫동안 하셨나요?
· 일할 때 어떤 점이 가장 어렵나요?
· 사람들을 돕는 일 중 가장 좋아하는 일은 무엇인가요?
· 하나님이 왜 사람들을 사용해 다른 사람들을 돕는다고 생각하세요?
· 당신을 위해 어떻게 기도할 수 있을까요?
④ 봉사자들의 섬김에 감사하는 시간을 갖는다.
⑤ 아이들에게 편지지와 연필을 나누어 주고, 지역사회 봉사자에게 편지를 쓰게 한다.
⑥ 아이들의 편지를 모아 주중에 전달한다.

— **에스더는 자기 민족을 돕기로 했어요.** 이것은 쉬운 결정이 아니었어요! 에스더는 유다 사람들을 돕기 위해 기꺼이 죽을 각오를 했어요. 우리 지역의 어려운 사람들을 돕기 위해 자신의 시간과 안전, 그리고 생명까지 기꺼이 내어놓는 사람들을 위해 기도해요.

아이들과 함께 기도한다.

하나님, 다른 사람들을 섬기는 이들을 우리에게 보내 주셔서 감사합니다. 우리도 다른 사람들의 필요를 알고 기쁘게 도와줄 수 있도록 우리를 인도해 주세요. 죄에서 헤어나지 못하는 우리를 예수님을 보내 구원해 주신 하나님을 기억하며 찬양합니다. 예수님의 이름으로 기도합니다. 아멘.

## 보물 상자

### 나만의 기록장

준비물 **학생용 교재 26쪽, 연필**

① 아이들에게 주변에 도움이나 격려가 필요한 사람이 있는지 물어본다.
② 그들을 격려하고 도울 방법을 3가지씩 써 보라고 한다.

— 하나님은 하나님의 백성에게 주신 약속을 신실하게 지키세요. 하나님은 우리를 통해 다른 사람들을 돕거나 하나님의 사랑을 보여 주기도 하세요. 우리가 신실하지 않을 때조차 언제나 신실하게 약속을 지키시는 하나님께 감사드려요.

### 메시지 카드

이번 주 메시지 카드로 부모님과 함께 오늘 배운 성경 이야기를 나누어 보라고 한다.

### 기도

하나님, 하만의 악한 계획을 바로잡으신 것처럼, 어떤 것도 하나님의 계획을 방해할 수 없다는 사실에 안심합니다. 어떠한 상황에서도 우리를 위한 계획을 이루시는 하나님을 찬양합니다. 날마다 하나님이 기뻐하시는 일을 행하며 하나님께 영광 돌리는 우리가 될 수 있도록 인도해 주세요. 예수님의 이름으로 기도합니다. 아멘.

# '나를 위한 하나님의 멋진 계획'

'복음'이라는 말을 들어 본 적 있니?
복음이란 좋은 소식이라는 뜻이야.
하나님이 우리(너)를 위해 보내 주신
놀라운 선물이지.

## 하나님은 세상을 만드셨단다

하나님은 온 세상을 만드셨어.
하늘, 땅, 나무, 새…. 그런데 더 놀라운 것은 사람을 만드셨다는 거야. 바로 우리(너)를 하나님이 만드셨어.
그리고 우리(너)를 사랑하신다고 성경에서 말하고 있어(요 3:16). 그래서 하나님은 우리와 항상 함께 살기를 원하시지(창 1:1; 골 1:16~17; 계 4:11).

**예화** 네가 정성을 다해 만든 작품이 소중하듯이 하나님이 너를 만드셨기 때문에 네가 매우 소중한 거야.

## 사람들은 죄를 짓고 하나님을 떠났어

모두 죄를 지었다고 성경은 말하고 있어(롬 3:23).
죄는 하나님께 불순종해 하나님이 기뻐하시지 않는 말이나 행동을 하는 거야(욕심, 거짓말, 싸움 등).
하나님은 거룩하신 분이기 때문에 죄를 가진 우리는 하나님과 함께 살 수 없게 되었단다.
사람들은 죄 때문에 하나님과 멀어져 결국 죽을 수밖에 없는 벌을 받게 되었어(롬 6:23).

## 하나님은 구원 계획을 갖고 계신단다

하나님은 우리(너)를 너무 사랑하셔서 우리(너)와 함께 살기를 원하셔. 그래서 대신 벌을 받기로 계획하셨어.
죄가 없으신 하나님의 아들 예수님을 이 땅에 보내셔서 우리가 받아야 할 죄의 벌을 받지 않도록 구원해 주신 거야.
죄인인 우리는 아무리 노력해도 해결할 수 없거든(요 3:16; 엡 2:8~9).

**예화** 손이 더러우면 어떻게 해야 깨끗해질까? 물로 씻어야겠지? 그런데 거짓말을 했을 때 물로 씻는다고 깨끗해질까?

## 예수님이 우리에게 생명을 주셨어

예수님은 완전하신 하나님의 아들이시지만 이 세상 사람의 몸으로 태어나셨어.
아무런 잘못이 없으시지만 너의 죄를 용서해 주시기 위해 십자가에서 죽으셨어(히 9:22). 그리고 3일 만에 다시 살아나셨어.
우리를 사랑하시는 하나님이 우리가 하나님과 함께 영원히 살 수 있는 길을 만드신 것이지. 이것이 우리를 위해 계획해 놓으신 최고의 선물이야(롬 5:8; 고후 5:21; 벧전 3:18)!

## 예수님! 우리 마음에 오세요!

성경은 영접하는 자 곧 그 이름을 믿는 자는 하나님의 자녀가 된다고 말하고 있어(요 1:12; 롬 10:9~10, 13).
'영접'은 손님이 문밖에서 두드리면 문을 열고 안으로 모시듯이 예수님을 "제 마음에 들어오세요" 하고 맞이하는 거야.
'믿는다'라는 것은 예수님이 나의 죄를 위해 십자가에 죽으시고 다시 살아나셨음을 진심으로 믿는다는 뜻이야.

너는 이 예수님을 마음에 모셔 들이기를 원하니? 네.
예수님은 어떤 분이시지? 우리의 죄를 위해 십자가에 죽으시고 다시 살아나신 분이셔. 그것을 진심으로 믿을 수 있겠니? 네.
그럼 선생님을 따라서 기도할 수 있겠니? 네.

**영접 기도**

사랑하는 예수님, 저는 죄를 지었어요.
저의 죄 때문에 예수님이 십자가에 죽으시고 다시 살아나셨음을 믿어요. 지금 제 마음에 들어오셔서 저의 주님이 되어 주세요.
예수님의 이름으로 기도합니다. 아멘.

**구원의 확신**

너는 누구의 자녀가 되었지? 하나님이요.
"영접하는 ○○, 곧 그 이름을 믿는 ○○에게는 하나님의 자녀가 되는 권세를 주셨으니" (요 1:12)
이제 ○○는 하나님의 자녀가 되었다고 하나님이 말씀에서 약속하셨어. 하나님의 자녀가 되었으니 다시는 싸우거나 욕심 부리는 죄를 짓지 않을 수 있을까? 아니요.
그러면 예수님이 너의 마음에서 떠나실까? "내가 결코 너를 떠나지도 않고 버리지도 않겠다" (히브리서 13장 5절 말씀을 읽게 한다).
그래, 너의 마음속에 오신 예수님은 너를 떠나지도 버리지도 않으셔. 항상 너와 함께 계시면서 네가 옳은 일을 할 수 있도록 힘과 용기를 주신단다.

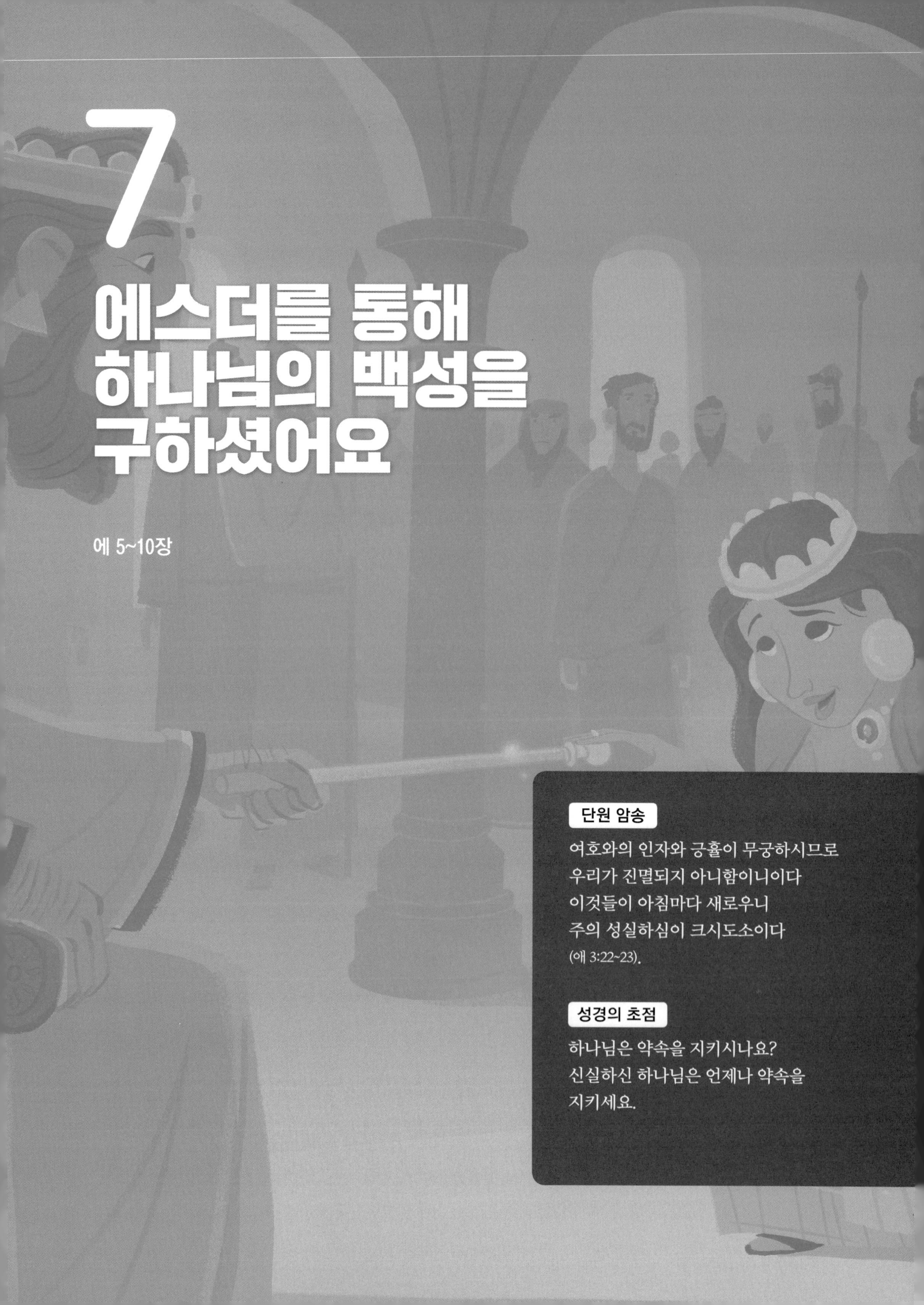

# 7

# 에스더를 통해 하나님의 백성을 구하셨어요

에 5~10장

**단원 암송**

여호와의 인자와 긍휼이 무궁하시므로
우리가 진멸되지 아니함이니이다
이것들이 아침마다 새로우니
주의 성실하심이 크시도소이다
(애 3:22~23).

**성경의 초점**

하나님은 약속을 지키시나요?
신실하신 하나님은 언제나 약속을
지키세요.

# 본문 속으로

예수님이 태어나시기 450여 년 전, 에스더가 살던 시대의 유다 사람들은 페르시아 제국 안에 흩어져서 살고 있었습니다. 에스더서는 페르시아의 왕비가 된 젊은 유다 여성이 자기 민족을 구했다는 예사롭지 않은 이야기를 전합니다.

페르시아의 왕비가 된 에스더는 하만이라는 왕궁의 높은 관리가 유다 사람들을 모두 죽이려 한다는 소식을 들었습니다. 에스더서에는 성경 중 유일하게 하나님의 이름이 나오지 않지만, 하나님은 분명히 에스더와 에스더의 사촌 모르드개를 통해 일하시면서 유다 사람들을 구하셨습니다. 모르드개는 에스더에게 "네가 왕후의 자리를 얻은 것이 이때를 위함이 아닌지 누가 알겠느냐?(에 4:14)"라고 말하며 이 모든 상황에 하나님이 개입하고 계심을 말했습니다.

에스더는 선택할 수 있었습니다. 아무 일도 하지 않으면서 유다 사람들과 함께 멸망할 수도 있었고(에 4:13~14 참조), 목숨 걸고 왕에게 나아가 유다 사람들을 보호해 달라고 호소할 수도 있었습니다. 에스더가 왕에게 나아가기 전, 에스더와 유다 사람들은 사흘 동안 금식하면서 기도했습니다.

왕은 에스더를 반기며 에스더가 원한다면 왕국의 절반이라도 주겠다고 말했습니다. 에스더는 왕에게 자기 민족을 없애려는 하만의 음모에 관해 말했습니다. 결국, 왕은 유다 사람이 아닌 하만을 죽이라고 명령합니다.

### 티칭 포인트

성경 이야기의 긴장감을 살리면서 아이들을 가르치십시오. 하만이 유다 사람들을 모두 죽이면 하만의 악한 계획으로 인해 하나님의 약속을 이루는 데에 문제가 생긴다는 점을 말해 주십시오. 하나님은 아브라함을 통해 세상을 축복하고, 세상을 영원히 다스릴 왕을 다윗의 자손으로 보내겠다고 약속하셨습니다. 하만이 유다 사람들을 죽이겠다는 악한 계획을 세웠지만, 하나님이 상황을 바꾸셨음을 아이들에게 강조하십시오. 사탄은 하만처럼 하나님을 믿는 사람들을 망하게 하려고 합니다. 예수님이 십자가에서 돌아가셨을 때 사탄은 자신이 이겼다고 생각했습니다. 하지만 하나님은 예수님을 죽은 자 가운데서 살리심으로 사탄을 단번에, 완전하고 영원히 이기셨습니다.

**주 제**

하나님은 하나님의 백성을 구하기 위해 에스더를 사용하셨어요.

**가스펠 링크**

예수님이 십자가에서 죽으셨을 때 사탄은 자신이 이겼다고 생각했어요. 하지만 하나님은 예수님을 죽은 자 가운데서 살리심으로 사탄을 완전히 이기셨어요.

## 에스더를 통해 하나님의 백성을 구하셨어요 에 5~10장

페르시아에 있던 유다 사람들은 어려움에 빠졌어요. 하만이 유다 사람들을 모두 죽이겠다는 악한 계획을 세웠기 때문이에요! 에스더는 페르시아의 왕비이면서 유다 사람이었어요. 에스더는 유다 사람들을 도우려고 했어요.

에스더와 사촌인 모르드개, 유다 사람들은 3일 동안 먹지도 않고 하나님께 기도했어요. 3일째 되는 날, 에스더는 왕에게 나아갔어요. 왕은 왕좌에 앉아 있었지요. 왕은 에스더를 보자 금으로 된 왕의 홀을 내밀었고, 에스더는 왕에게 걸어갔어요.

왕은 "에스더 왕비여, 무슨 일이오?"라고 물었어요. 그러고는 "원하는 것이 있소? 당신이 원한다면, 내 왕국의 절반이라도 떼어 당신에게 주겠소"라고 말했어요. 에스더는 왕에게 "제가 오늘 왕을 위해 잔치를 준비했으니 하만과 함께 오셨으면 합니다"라고 대답했어요.

왕은 하만과 함께 에스더가 준비한 잔치에 갔어요. 왕은 먹고 마신 후 에스더에게 다시 물었어요. "에스더 왕비여, 당신의 소원이 무엇이오? 내 왕국의 절반이라도 주겠소." 에스더가 왕에게 대답했어요. "제 소원은 왕께서 내일도 하만과 함께 제가 준비한 잔치에 오시는 것입니다." 왕은 그렇게 하겠다고 약속했어요.

그날 밤 하만은 집으로 돌아가 모르드개를 매달 높은 나무를 세웠어요. 자기에게 절도 하지 않고 두려워하지도 않는 모르드개가 미웠기 때문이에요.

다음 날, 왕과 하만은 다시 에스더의 잔치에 갔어요. 음식을 먹고 앉아 있다가 왕은 또다시 에스더에게 물었어요. "에스더 왕비여, 당신의 소원이 무엇이오? 내 왕국의 절반이라도 주겠소."

에스더는 왕에게 대답했어요. "저의 민족을 살려 주십시오! 이것이 저의 소원입니다. 누군가 저와 저의 민족을 모두 죽이려 합니다."

왕은 에스더와 유다 민족을 죽이려는 자가 누구냐고 물었어요. 에스더는 "그 사람은 바로 악한 하만입니다!"라고 말했어요.

왕은 몹시 화가 났어요! 왕은 하만이 모르드개를 죽이려고 만든 나무에 하만을 매달라고 명령했어요. 하만은 죽임을 당했고, 그제야 왕의 분노가 가라앉았어요. 왕은 유다 사람들이 원수들로부터 자신을 안전하게 지킬 수 있도록 법을 만들었어요.

### ●● 가스펠 링크

하나님이 유다 사람들을 죽이려는 하만의 악한 계획을 깨뜨리셨어요. 사탄은 하만처럼 하나님을 믿는 사람들을 망하게 하려고 해요. 예수님이 십자가에서 돌아가셨을 때 사탄은 자신이 이겼다고 생각했어요. 하지만 하나님은 예수님을 죽은 자 가운데서 살리심으로 사탄을 완전히 이기셨어요.

# 가스펠 준비
(10~20분)

## 환영

도착하는 아이들을 반갑게 맞이하고 헌금, 출석, QT 등을 확인하며 격려한다. 새 친구가 있다면 소개한다. 편안한 분위기에서 안부를 물으며 오늘의 말씀과 관련된 화제로 이야기를 나눈다. 아이들에게 대통령이나 왕을 만나는 장면을 상상해 보라고 한다. 대통령이나 왕이 자신의 요청을 들어준다면 무엇을 부탁할지 물어본다. 자발적으로 대화에 참여하도록 이끈다.

예) "대통령이나 왕을 만나면 무엇을 부탁하고 싶나요?", "왜 그런 부탁을 하고 싶은가요?", "내가 왕이나 대통령이라면 사람들에게 어떤 부탁을 받기 원하나요?" 등.

— 한 나라의 중요한 지도자를 찾아가 어떤 일을 부탁할 기회를 잡기란 정말 어려운 일이에요. 만약 그런 기회가 생긴다면 자신에게 유익이 되는 무언가를 부탁하고 싶어질 거예요. 하지만 내가 아닌 다른 사람들을 도울 수 있는 일을 부탁한다면 어떨까요? 오늘의 성경 이야기에 이런 일이 등장해요.

## 마음 열기

### 타이밍을 맞춰라 *

준비물 나무젓가락이나 수수깡 같은 가볍고 긴 물건, 펜

① 아이들을 2명씩 짝짓고, 서로 마주 보게 한다.

② 한 아이는 두 손바닥을 펴서 마주보게 하고, 다른 아이는 나무젓가락을 높이 들어 올려 상대방 아이의 손바닥 사이로 떨어뜨리라고 한다

③ 떨어지는 나무젓가락을 두 손으로 최대한 빨리 잡아, 나무젓가락을 잡은 손의 위치를 표시하라고 한다. 손으로 잡은 위치가 아래에 있을수록 빨리 반응한 것이다.

④ 역할을 바꾸어 놀이를 반복한다.

TIP 나무젓가락의 중간에 기준선을 긋고, 그 선에 최대한 가깝게 잡은 사람이 이기는 방식으로 놀이를 진행해도 좋다.

— 우리는 완벽한 순간을 맞추기가 힘들어요. 그러나 하나님의 시간 선택은 언제나 완벽해요. 하나님은 하나님의 백성을 구하기 위해 에스더를 딱 맞는 때에 꼭 필요한 장소에 두셨어요. 에스더가 어떻게 했는지 성경 이야기를 통해 더 알게 될 거예요.

### 나만의 연대표 *

준비물 A4 용지, 색연필이나 사인펜

① 아이들에게 기억나는 중요한 일이나 특별한 일들을 시간 순서에 따라 종이에 그려 보라고 한다.

예) 입학, 태권도 학원에서 품띠를 땄을 때, 동생이 태어났을 때 등.

② 연대표가 완성되면, 아이들에게 중요한 일 한두 가지를 이야기해 보라고 한다.

— 만약 100년 전에 태어났다면 어떻게 살았을지 상상할 수 있나요? 여러분이 언제 태어날지를 하나님이 계획하셨다는 사실을 알고 있었나요?
하나님은 모든 사람에 대한 계획을 갖고 계세요. 누가 언제 어디서 태어날지도 모두 하나님의 계획 안에 있지요(행 17:26 참조). 오늘 성경 이야기에서 에스더의 사촌 모르드개는 에스더에게 그녀가 페르시아의 왕비가 된 일에는 하나님의 특별한 목적이 있다는 사실을 알려 주었어요.

# 가스펠 **설교**
(15~30분)

## 들어가기

준비물 **운동복, 운동 가방**

운동복을 입고 커다란 운동 가방을 들고 들어온다. 바닥에 운동 가방을 내려놓고 목을 주무른다.

여러분, 안녕하세요! 지난주부터 저는 철인 3종 경기를 앞두고 훈련하기 시작했어요. 훈련은 정말 힘들었어요! 온몸이 쑤시고 아파서 훈련을 계속할 수 없다고 생각한 날도 있었어요. 정말이지 이렇게 힘든 경기를 준비하려면 많은 노력과 인내가 필요해요.

인내가 무엇인지 기억하는 사람 있나요? 아이들의 대답을 기다린다. 맞아요. 힘들고 어려워도 참고 꾸준히 해낼 수 있는 능력이에요. 경기하는 날이 오면 저의 모든 노력은 보상받을 거예요. 목표를 이루고 나면 정말 멋질 거예요!

기쁨을 누리기 위해 어려운 일을 겪어야 할 때도 있어요. 정말 어렵게 느껴지는 일을 해 본 적 있나요? 그 일을 해내고 모든 수고를 보상받았을 때 기분이 어땠나요? 아이들의 대답을 기다린다. 그런 일들은 오늘의 성경 이야기를 생각나게 해요.

## 연대표

성전을
다시 지었어요

에스더를 왕비로
세우셨어요

에스더를 통해
하나님의 백성을
구하셨어요

느헤미야가
예루살렘의 소식을
들었어요

지난 시간에 우리는 유다 사람인 에스더가 페르시아의 새 왕비가 된 이야기를 들었어요. 왕궁의 높은 관리였던 하만은 유다 사람들을 미워했고, 그들을 모두 죽이려는 악한 계획을 생각해 냈어요. 에스더의 사촌 모르드개는 하만의 계획을 듣고 에스더에게 사람을 보냈어요. 모르드개는 에스더에게 왕비의 지위를 이용해 백성을 도와 달라고 간절히 부탁했어요. 연대표에서 오늘의 성경 이야기를 가리킨다. 오늘의 성경 이야기는 그런 상황에서 시작되어요.

## 성경의 초점

성경 이야기를 시작하기 전에 먼저 '성경의 초점'을 함께 생각해 보아요. **하나님은 약속을 지키시나요? 신실하신 하나님은 언제나 약속을 지키세요.** 오늘 성경 이야기를 들으면서 하나님이 하나님의 백성에게 어떻게 신실하셨는지 잘 생각해 보세요.

## 성경 이야기

DVD 에스더 5~10장을 펴고, 설교 영상(지도자용 팩)을 보여 주거나 이야기 성경을 들려준다.

정말 놀라운 이야기예요! 에스더는 용기를 내어 자기 민족을 대신해 왕 앞에 나아갔어요. 자칫 죽을 수도 있었지요! 하지만 **하나님은 하나님의 백성을 구하기 위해 에스더를 사용하셨어요.** 하나님은 이 세상에서 하나님의 계획을 이루기 위해 평범한 사람들을 사용하세요. 정말 놀랍지 않나요? 에스더에게 특별한 능력이 있었던 것은 아니에요. 단지 하나님이 하나님의 목적을 위해 쓰시도록 기꺼이 자신을 내놓았을 뿐이에요.

하나님은 에스더를 사용하신 것처럼 하나님의 일을 위해 우리도 쓰실 수 있어요! 하나님은 우리의 삶에 대한 계획을 갖고 계세요.

에스더서에는 하나님의 이름이 한 번도 나오지 않아요. 그런데도 하나님은 분명 그 모든 일의 중심에 계세요. 하만은 자신의 힘을 이용해 유다 사람들을 모두 없애려고 계획했어요. 처음에는 모든 일이 하만의 계획대로 이루어지는 것처럼 보였어요. 하지만 하나님이 모든 상황을 바꾸시고 하만의 악한 계획을 멈추셨어요.

하만이 유다 사람들을 없애려 했듯이, 사탄은 하나님을 믿는 사람들을 망하게 하려고 해요. 하나님은 우리를 죄와 죽음에서 구원하기 위해 아들이신 예수님을 보내셨어요. 예수님은 죄인들을 구원하기 위해 목숨을 내놓으셨어요. 예수님이 십자가에서 죽으셨을 때 사탄은 자신이 이겼다고 생각했어요. 하지만 하나님은 예수님을 죽은 자 가운데서 살리심으로 사탄을 완전히 이기셨어요.

**복/습/질/문**

1 에스더는 며칠 동안 금식한 후 왕에게 나아갔나요?

3일 (에 4:15~16, 5:1)

2 왕은 에스더에게 왕권을 상징하는 지팡이를 내밀었나요?

네 (에 5:2)

3 에스더는 왕과 하만을 위해서 무엇을 준비했나요?

잔치 (에 5:7~8)

4 하만은 에스더가 준비한 첫 번째 잔치에 다녀온 후 누구를 나무에 매달려고 했나요?

모르드개 (에 5:14)

5 왕은 누구를 높이고 싶었나요?

모르드개 (에 6:2~3)

6 하만은 왕이 누구를 높이려고 한다고 생각했나요?

하만 또는 자신 (에 6:3~6)

7 에스더는 몇 번째 잔치에서 자신까지 해치려는 하만의 음모를 왕에게 말했나요?

두 번째 잔치 (에 7:2~10)

8 왕은 하만이 모르드개를 매달기 위해 만든 나무에 누구를 매달라고 명령했나요?

하만 (에 8:7)

9 왕은 유다 사람들을 어떻게 보호했나요?

왕은 유다 사람들이 원수들로부터 자신을 안전하게 지킬 수 있는 법을 만들었다 (에 8:11)

**10 하나님은 약속을 지키시나요?**

**신실하신 하나님은 언제나 약속을 지키세요.**

## 복음 초청

성경과 63쪽 복음 초청 가이드를 이용해서 아이들에게 그리스도인이 되는 법을 설명해 준다. 따로 상담해 줄 사람을 정해 주고 궁금한 점이 있으면 물어보도록 격려한다.

이 시간 예수님을 마음에 모시고 싶은 친구는 함께 기도해요.

## 기도

하나님, 성경 이야기를 통해 하나님의 백성을 향한 하나님의 신실하심을 봅니다. 하나님의 위대한 계획을 이루기 위해 에스더와 우리를 사용해 주셔서 감사합니다. 우리를 죄와 죽음에서 구원하기 위해 예수님을 보내 주셔서 감사합니다. 예수님이 우리 대신 죽으셔서 이제 우리는 용서받았습니다. 날마다 하나님의 사랑을 기억하고, 하나님의 뜻을 이루며 살 수 있도록 우리를 인도해 주세요. 예수님의 이름으로 기도합니다. 아멘.

## 적용

TIP 설교 도입이나 적용으로 활용하거나 영상을 본 뒤 소그룹으로 나누어 풍성한 대화를 이어 갈 수 있습니다.

지난주 영상에서 컵케이크가 위험에 처했던 것 기억하나요? 굶주린 개가 모조리 먹어 치우려고 해서 컵케이크가 겨우 하나밖에 남지 않았어요! 무슨 일이 벌어지는지 함께 보아요.

DVD 적용 예화 영상(지도자용 팩)을 보여 준다.

다른 사람들을 돕기 위해 자신이 가진 것을 기꺼이 희생할 수 있나요? 사람들에게 예수님을 전하기 위해 얼마나 멀리까지 갈 수 있나요?

하나님은 만물을 다스리시고, 언제나 신실하세요. 하나님은 어려운 사람들을 돕기 위해 우리를 사용하기도 하세요. 하나님은 우리에게 영원한 생명을 약속하셨어요. 그 약속 덕분에 우리는 다른 사람들을 돕기 위해 무엇이든 할 수 있어요.

# 가스펠 소그룹
(10~20분)

## 나침반

### 동작으로 익혀요

준비물 2단원 암송(109쪽), 색인 카드, 사인펜

① 암송 구절을 4부분으로 나누어 색인 카드에 각각 적어 둔다.

② 아이들을 4팀으로 나누고, 카드를 한 장씩 나누어 준다.

③ 각 팀이 맡은 암송 구절 부분을 외우는 데 도움이 될 만한 손동작을 만들어 보라고 한다.

④ 시간이 지난 후, 각 팀이 만든 손동작을 서로에게 가르쳐 주게 한다.

⑤ 손동작을 함께하면서 암송 구절을 외운다.

— 이 성경 구절은 하나님의 자비에 관해 말해요. 하나님이 자비로우시다는 것은 무슨 뜻일까요? 아이들의 대답을 기다린다. '자비'란 깊이 사랑하여 가엾이 여기고 용서하는 것을 말해요. 죄 때문에 벌을 받아야 하는데도 받지 않는 것이지요. 우리는 모두 죄 때문에 죽음이라는 벌을 받아야 하지만, 하나님은 십자가에서 죽으신 예수님을 통해 우리를 구원하시는 자비를 베풀어 주셨어요. 하나님은 우리가 받아야 할 벌을 예수님이 대신 받게 하셨어요.

하나님의 자비는 아침마다 새롭다고 성경은 말해요. 이것은 우리가 매일 예수님 안에서 안전할 수 있다는 아름다운 약속이에요! 예수님을 믿으면 하나님이 우리 죄를 용서하지 않으실까 걱정할 필요가 없어요. 예수님은 우리의 모든 과거와 현재와 미래의 죄를 위해 죽으셨어요.

## 보물 지도

### 왕에게 더 가까이

준비물 성경

① 아이들에게 성경에서 에스더 5~10장을 찾으라고 한다.

② 한 아이를 왕으로 뽑고, 예배실의 한쪽 끝에 서라고 한다. 나머지 아이들은 반대편 끝에 세운다.

③ 인도자가 질문하면, 아이들은 정답을 함께 말하라고 한다.

④ 정답을 맞히면 왕을 향해 두 걸음 다가갈 수 있다고 말해 준다.

1 하나님은 유다 사람들을 구하기 위해 누구를 사용하셨나요?
하나님은 하나님의 백성을 구하기 위해 딱 맞는 때에 에스더를 사용하셨다

2 에스더는 모르드개와 유다 사람들에게 며칠 동안 금식하며 기도하라고 했나요?
3일 (에 4:15~16)

3 에스더가 왕에게 다가갔을 때 왕은 어떻게 행동했나요?
왕은 왕권을 상징하는 홀(笏)을 에스더에게 내밀었다 (에 5:2)

4 에스더는 왕에게 무엇을 부탁했나요?
하만과 함께 자신이 준비한 잔치에 와 달라고 했다 (에 5:4)

5 하만은 무엇을 세웠나요?
모르드개를 매달 긴 나무를 세웠다 (에 5:14)

6 왕과 하만이 참석한 두 번째 잔치에서 에스더는 왕에게 무슨 말을 했나요?
하만이 자신과 자기 민족인 유다 사람들을 죽이려고 한다고 말했다 (에 7:3~6)

7 왕은 에스더의 이야기에 어떻게 반응했나요?
왕은 화가 나서 하만이 모르드개를 죽이기 위해 만든 나무에 하만을 매달라고 명령했다 (에 7:9~10)

8 왕은 유다 사람들을 어떻게 보호했나요?
왕은 유다 사람들이 원수들로부터 자신을 안전하게 지킬 수 있는 법을 만들었다(명령을 내렸다) (에 8:11)

**9 하나님은 약속을 지키시나요?**
**신실하신 하나님은 언제나 약속을 지키세요.**

— 정말 잘했어요! 유다 사람들이 죽임을 당하지 않은 것이 왜 그렇게 중요한지 알고 있나요? (아브라함의 자손인 유다 사람 중에 구세주를 보내는 것이 하나님의 계획이었기 때문이다.) 오늘의 성경 이야기는 하나님이 모든 상황을 움직이셨다는 사실을 보여 주어요. 어떤 것도 하나님의 계획을 멈추거나 바꿀 수 없어요! 하나님은 하나님의 백성을 구하기 위해 딱 맞는 때에 에스더를 사용하셔서 하나님의 약속을 신실하게 지키셨어요.

## 탐험하기

### 에스더의 길 찾기

준비물 학생용 교재 28쪽, 연필

① 아이들에게 에스더는 유다 민족을 구하기 위해 왕에게 나아가기로 했다고 말해 준다.

② 에스더가 왕에게 가는 길을 찾아가 보라고 한다.

하나님은 에스더를 통해 하나님의 백성을 구해 내는 신실함을 보여 주셨어요. 하나님의 계획은 어떠한 상황에서도 변함없이 이루어져요. 우리를 죄와 죽음에서 구원하기 위한 하나님의 계획은 예수님을 통해 이루어졌어요. 우리를 위해 십자가에서 죽으시고 살아나신 예수님을 통해서만 우리는 용서받고 구원받을 수 있어요.

## 멸망하지 않고 구원받은

준비물 학생용 교재 29쪽, 연필

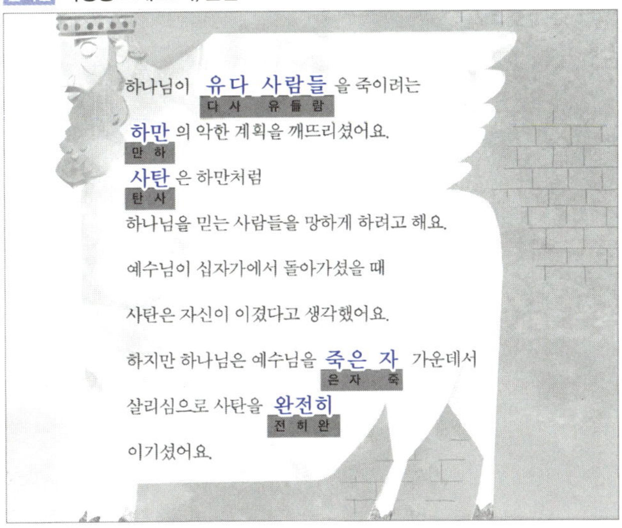


① 뒤죽박죽인 단어들을 바르게 고쳐 보라고 한다.

② 바르게 고친 단어를 넣은 문장을 함께 읽는다.

## 얼음! 땡! *

준비물 마스킹 테이프, 왕의 홀로 사용할 기다란 막대기

① 예배실 바닥 양쪽 끝에 마스킹 테이프로 출발선과 도착선을 표시한다.

② 아이 중 왕을 한 명 뽑고 왕은 도착선에, 아이들은 출발선에 서게 한다.

③ 왕이 된 아이에게 왕의 홀을 들고 아이들을 향해 뻗거나 몸 쪽으로 당기라고 말해 준다.

④ 아이들에게 왕이 홀을 뻗으면 도착선을 향해 갈 수 있으며, 왕이 홀을 몸 쪽으로 당기면 멈추어야 한다고 말해 준다.

⑤ 왕이 홀을 당겼는데도 계속 움직인 아이는 출발선으로 돌아가야 한다고 일러 준다.

⑥ 모든 아이가 도착선에 도달하면 왕을 새로 뽑아 놀이를 반복한다.

이 놀이는 오늘 성경 이야기 중 무엇을 생각나게 하나요? (에스더는 왕이 홀을 내밀어야 왕에게 다가갈 수 있었다) 에스더가 왕에게 나갔을 때, 왕은 홀을 내밀어 에스더가 이야기할 수 있도록 허락했어요. 에스더는 왕을 잔치에 초대했고, 유다 사람들을 구해 달라고 부탁했어요. **하나님은 하나님의 백성을 구하기 위해 에스더를 사용하셨어요.**

## 의도하지 않은 결과 *

① 오늘 성경 이야기에서 하만이 유다 사람들을 모두 죽이려 했다는 사실을 아이들에게 말해 준다.

② 안 좋은 일의 예를 아이들에게 들려준다.

③ 이 일들 때문에 어떤 좋은 결과가 생겼는지 아이들에게 맞혀 보라고 한다.

④ 답을 알려 준다.

예) · 1853년에 한 고객이 감자튀김이 너무 두껍고 눅눅하다고 불평했어요. 모욕을 당한 요리사는 그 고객을 화나게 하려고 감자를 아주 얇게 썰어 튀긴 후 소금을 뿌렸어요. → 답) 감자칩이 발명되었다.

· 1870년대에 *콜타르를 연구하던 화학자가 손에 화학물질을 묻힌 채 음식을 먹었어요. 그러다 음식이 달콤해졌다는 사실을 알아챘어요. → 답) 인공감미료(사카린)를 발명했다. (*콜타르: 석유를 높은 온도로 가열했을 때 생기는 액체)

· 1905년에 한 남자가 탄산음료가 들어 있는 컵에 막대를 넣은 채 밖에 내놓았어요. 그날 밤 막대에 탄산수가 얼어붙어었어요. → 답) 막대 아이스크림

이 발명되었다.

· 1930년에 한 여성이 초콜릿을 조각내어 쿠키 반죽에 넣었어요. → 답) 초콜릿 칩 쿠키가 발명되었다.

— 이 일들의 결과는 예상과 달랐어요. 하만의 일도 그랬어요. 하만은 유다 사람들을 모두 죽이려고 했지만, 오히려 왕이 하만을 죽이라고 명령했어요.
하나님이 유다 사람들을 죽이려는 하만의 악한 계획을 깨뜨리셨어요. 사탄은 하만처럼 하나님을 믿는 사람들을 망하게 하려고 해요. 예수님이 십자가에서 돌아가셨을 때 사탄은 자신이 이겼다고 생각했어요. 하지만 하나님은 예수님을 죽은 자 가운데서 살리심으로 사탄을 완전히 이기셨어요.

## 보물 상자

### 나만의 기록장

준비물 학생용 교재 30쪽, 연필

① 모든 사람이 구원받기를 원하시는 하나님은 평범한 사람들을 사용해 전 세계에 복음을 전하신다는 사실을 말해 준다.
② 하나님이 하나님의 계획을 이루기 위해 나를 어떻게 사용하실지 그 방법 한 가지를 써 보라고 한다.

— **하나님은 하나님의 백성을 구하기 위해 에스더를 사용하셨어요.** 하나님은 누구든지 회개하고 예수님을 믿으면 구원받을 수 있다는 복음을 전하기 위해 우리를 사용하세요.

### 메시지 카드

이번 주 메시지 카드로 부모님과 함께 오늘 배운 성경 이야기를 나누어 보라고 한다.

### 기도

하나님, 이 세상에 복음을 전하기 위해 우리를 사용해 주셔서 감사합니다. 마음이 흔들리고 하나님의 말씀을 지키지 못할 때에도 우리를 사랑하시는 선하신 하나님을 찬양합니다. 날마다 신실하신 하나님의 약속을 기억하며 담대하게 나아가게 해 주세요. 예수님의 이름으로 기도합니다. 아멘.

칼럼

# 교회 사역에서 결정적인 30초!

지역 교회 사역을 처음 시작했을 때 교회 지도자들에게서 교회를 처음 찾은 방문객들이 경험하게 되는 처음 몇몇 순간들이 얼마나 결정적인지에 관해 설명을 들었습니다. 교회가 방문객들에게 호의적인 태도를 보이는 것은 매우 중요합니다. 우리가 다른 사람들을 반갑게 맞이하는 이유는 예수 그리스도께서 우리를 그렇게 대하셨기 때문입니다.

저는 아버지가 된 후 결정적인 순간을 하나 더 발견했습니다. 예배와 공과 공부 시간이 끝난 뒤 부모님들이 아이들을 데려가는 30초의 순간이 바로 그것입니다!

어떤 교회들은 이 30초를 '관계 지향적 의도성'을 가지고 활용합니다. 그들은 제자도의 가족적 특성을 전략적으로 생각해 교사나 교역자들이 관계 지향적으로 호의를 가지고 행동하도록 훈련시킵니다. 그 결정적인 30초가 관계 지향적 의도성을 띨 때 다음 두 가지 일이 일어납니다.

### 1. 부모님들이 교회와 개인적으로 교류할 수 있는 기회가 됩니다.

수많은 부모님이 체험 수업이나 학부모 상담에 참여하는 이유가 있습니다. 꼭 그리스도인이 아니더라도 부모라면 누구나 자기 자녀들에게 영향을 주고 있는 사람이 누구인지, 자녀들이 자기가 속한 환경에서 어떻게 지내고 있는지 알고 싶어 합니다. 아버지나 어머니가 아이를 데리러 오는 30초야말로 부모님들이 자기 가족이 교회에서 사랑받고 있으며 소중히 여겨지고 있다는 사실을 알고 느낄 수 있는 더할 수 없이 좋은 기회입니다.

### 2. 부모님들이 가족을 인도하는 데 도움을 받을 기회가 됩니다.

제게는 어린 딸이 두 명 있습니다. 딸들과 함께 '교회에서 무엇을 배웠는지'에 관해 이야기를 나눌 때, 그날 배운 성경 이야기가 담긴 활동지나 부모용 가정통신문이 있을 경우 훨씬 수월했습니다. 교회가 부모인 제게 제공하는 자료에 따라 대화의 질이 달라집니다.

저는 목사입니다. 그러니까 딸이 엘리야를 잘못 말하여 "엘사가 하나님께 불을 붙여 달라고 기도하는 이야기 있잖아요!"라고 말해도 그 과의 내용이 무엇인지 압니다. 하지만 성경 공부를 많이 해 보지 않은 아버지라면 어떨까요? 이런 상황에서 어린 딸과 어떤 대화를 나누게 될까요? 부모님들이 가족을 잘 인도할 수 있도록 돕는 것은 매우 중요합니다.

여러분은 지금 관계 지향적으로, 그리고 의도적으로 30초의 배웅 시간을 사용하고 있습니까? 어린이들의 아버지, 어머니를 목양하는 일에 관계 지향적이 되십시오. 그리고 그들이 자녀들과 주님에 대해 대화를 나눌 수 있도록 도와주고자 하는 의도를 가지십시오.

이 글을 쓴 에릭 가이거(Eric Geiger)는 LifeWay의 부회장입니다.

# 8

# 느헤미야가 예루살렘의 소식을 들었어요

느 1~2장

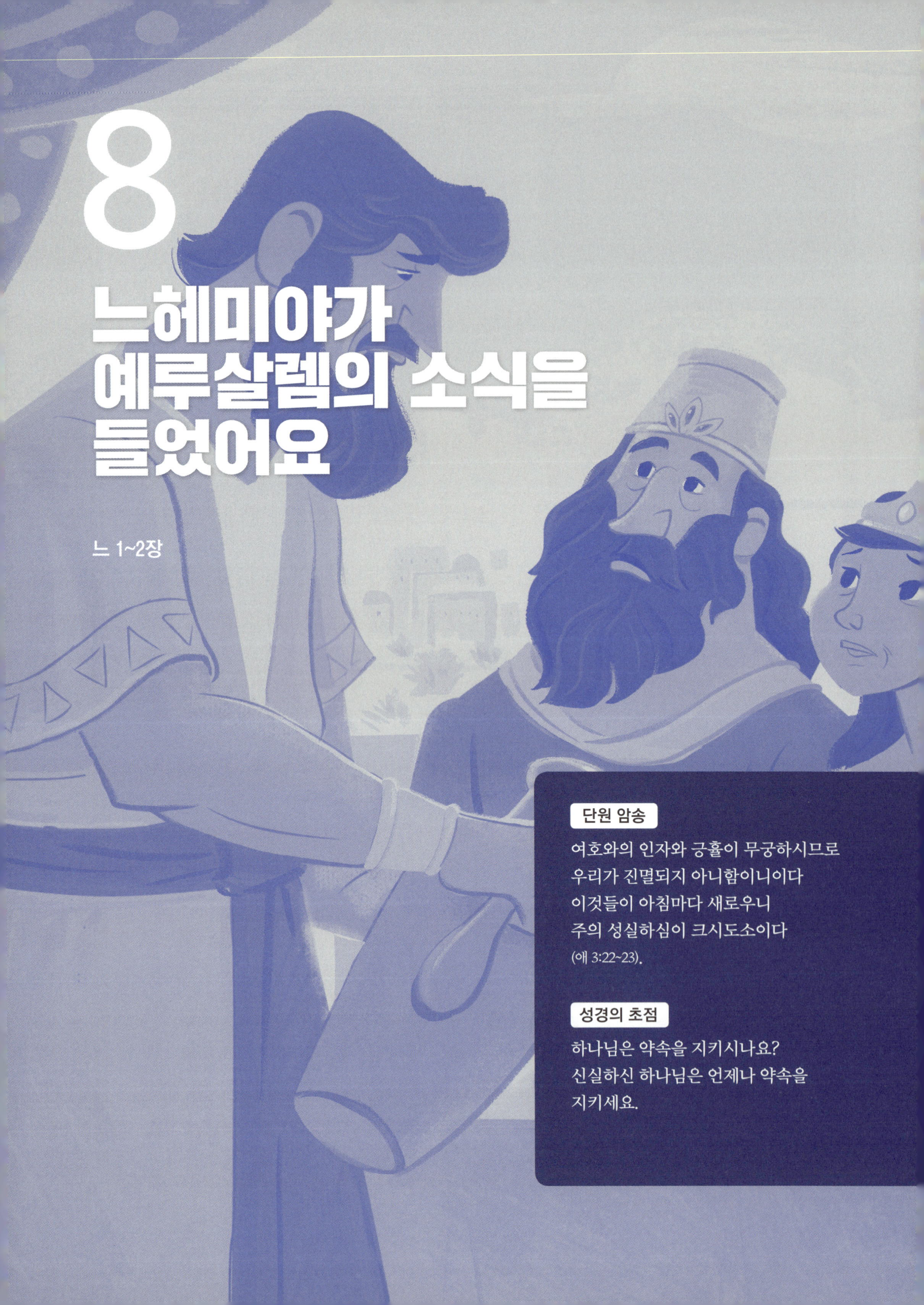

**단원 암송**

여호와의 인자와 긍휼이 무궁하시므로
우리가 진멸되지 아니함이니이다
이것들이 아침마다 새로우니
주의 성실하심이 크시도소이다
(애 3:22~23).

**성경의 초점**

하나님은 약속을 지키시나요?
신실하신 하나님은 언제나 약속을
지키세요.

# 본문 속으로

느헤미야는 페르시아에 사는 유다 사람이었습니다. 그는 왕의 술을 따르는 관원으로, 페르시아 왕의 신임을 받는 자리에 있었습니다. 술 따르는 관원은 누군가 왕의 술에 독을 넣지 않았는지 확인하는 일을 했습니다. 왕의 안전을 위해 술을 직접 맛볼 때도 있었습니다.

페르시아 제국이 바벨론을 정복했을 때, 고레스왕은 하나님의 백성에게 유다로 돌아가라고 명령했습니다. 처음에는 포로로 끌려왔던 300만 명에 달하는 유다 사람들 중 5만 명만이 고향으로 돌아갔습니다. 그들은 예루살렘에서 집을 짓고 하나님의 성전을 다시 세웠습니다. 느헤미야의 이야기는 에스라가 두 번째 무리를 이끌고 유다로 돌아간 후에 시작됩니다.

느헤미야는 유다로 돌아간 사람들의 소식을 들었습니다. 하나님의 백성은 어려움을 겪으면서 수치스럽게 살고 있었습니다. 예루살렘 성벽은 무너졌고 성문은 불탔습니다. 무방비로 적에게 노출된 채 두려움에 떨면서 살고 있었습니다. 이 소식을 들은 느헤미야는 주저앉아 슬피 울었습니다.

느헤미야는 며칠 동안 금식하면서 기도했습니다. 하나님의 백성을 향한 하나님의 약속을 기억했습니다. 비록 불순종으로 인해 그들의 땅에서 쫓겨났지만, 하나님께 돌아가 순종하면 축복을 받을 수 있었습니다. 하나님은 하나님 백성의 재산을 회복시키고 집을 주겠다고 약속하셨습니다(신 30:1~10 참조).

아닥사스다왕은 느헤미야의 슬픔을 알아챘습니다. 느헤미야는 겁이 났습니다. 왕 앞에서 슬퍼하는 모습을 보이는 것은 위대한 왕을 모욕하는 일이었기 때문입니다. 느헤미야는 곤경에 처한 예루살렘의 상황을 왕에게 설명했습니다. 왕은 느헤미야에게 예루살렘에 다녀올 것을 허락하면서 안전하게 길을 통과할 수 있도록 편지를 써 주었습니다. 성을 재건하는 데 필요한 나무들도 가져갈 수 있도록 허락했습니다. 느헤미야는 예루살렘에 도착했습니다. 그는 하나님의 백성에게 성벽을 다시 세우자고 격려했습니다. 그리고 주변의 반대에도 꿋꿋이 맞섰습니다.

**주제**

느헤미야는 하나님의 백성이 예루살렘 성벽을 다시 세울 수 있도록 도와 달라고 하나님께 기도했어요.

**가스펠 링크**

예수님은 하나님께 온전히 순종하셔서 십자가에서 죽으시고 다시 살아나심으로 우리가 하나님과 영원히 함께 살 수 있게 하셨어요.

**티칭 포인트**

이 성경 이야기는 느헤미야가 예루살렘 성벽을 재건하기 시작하는 모습을 보여 줍니다. 아이들을 가르칠 때, 느헤미야는 하나님의 백성에게 집을 주겠다고 하신 하나님의 약속을 믿었다는 사실을 알려 주십시오. 우리도 회개하고 예수님을 믿으면 예수님과 함께 하나님의 집에서 영원히 거할 곳을 마련하겠다는 예수님의 약속을 확신하게 됩니다(요 14:3 참조).

## 느헤미야가 예루살렘의 소식을 들었어요 느 1~2장

유다 사람인 느헤미야는 하나님의 백성이었어요. 페르시아 제국이 바벨론을 정복했을 때, 고레스왕은 바벨론에 살고 있던 하나님의 백성에게 유다로 돌아가라고 명령했어요. 많은 백성이 고향으로 돌아갔지만, 일부는 페르시아에 남았어요. 느헤미야도 페르시아에 남아 왕을 위해 일했어요.

어느 날, 유다에서 온 몇몇 사람이 느헤미야를 찾아 왔어요. 느헤미야는 고향으로 돌아간 유다 사람들의 소식을 물었어요. 그들이 말했어요. "그곳에 있는 사람들이 큰 어려움을 겪고 있습니다. 예루살렘을 둘러싼 성벽은 무너졌고, 성문은 모두 불에 탔습니다."

이 말을 들은 느헤미야는 주저앉아 울었어요. 너무 슬퍼서 며칠 동안 아무것도 먹지 않으며 기도했어요. "하나님, 우리가 하나님께 죄를 지었습니다. 하지만 모세에게 하신 말씀을 기억해 주십시오. 하나님은 '너희가 만약 죄를 지으면 여러 민족 가운데로 흩어 버릴 것이다. 하지만 너희가 내게 돌아와 내 계명을 지키면 하늘 끝에서라도 너희를 불러 모아 내가 선택한 곳으로 데려올 것이다'라고 말씀하셨습니다."

느헤미야는 왕의 시중을 드는 동안에도 슬픔을 감출 수 없었어요. 왕은 "네 얼굴이 왜 그리 슬퍼 보이느냐? 마음에 걱정이 있는 것이 분명하다"라고 느헤미야에게 말했어요.

느헤미야는 겁이 났어요. 왕 앞에서는 누구도 슬퍼하는 모습을 보여서는 안 되었기 때문이에요. 느헤미야는 조심스럽게 왕에게 말했어요. "저의 조상이 살던 성은 폐허가 되었고, 성문은 불에 타 허물어졌다는 소식을 들었습니다."

왕은 느헤미야에게 무엇을 원하는지 물었어요. 느헤미야는 하나님께 기도한 후 왕에게 말했어요. "저를 유다로 보내 그 성을 다시 세울 수 있게 해 주십시오."

왕은 느헤미야가 유다에 다녀오는 것을 허락했어요. 느헤미야가 유다에 도착할 때까지 무사히 통과할 수 있도록 사람들에게 보여 줄 편지도 써 주었어요. 또한 예루살렘의 성문과 성벽을 짓는 데 필요한 나무도 주었어요. 그리고 느헤미야를 보호하기 위해 자신의 군사까지 보냈어요.

예루살렘에 도착한 지 3일 후, 느헤미야는 한밤중에 일어나 성벽을 살펴보러 나갔어요. 그러고는 유다 백성에게 말했어요. "우리는 어려움을 겪고 있습니다. 성은 폐허가 되었고, 성문은 불탔습니다. 자, 이제 힘을 모아 예루살렘 성벽을 다시 세웁시다."

느헤미야는 하나님이 자신을 어떻게 도와주셨는지, 그리고 왕이 무슨 말을 하고 어떤 도움을 주었는지 사람들에게 모두 이야기했어요. 사람들은 "성벽 공사를 시작합시다!"라고 말하며, 느헤미야와 함께 성벽을 다시 세우기 시작했어요.

### ●● 가스펠 링크

느헤미야는 하나님이 그의 백성을 돌보고 거할 곳을 주겠다고 하신 약속을 믿었어요. 예수님을 믿는다는 것은 하나님이 하나님의 백성인 우리에게 거할 곳을 주겠다고 하신 약속을 믿는 거예요. 예수님은 하나님께 온전히 순종하셔서 십자가에서 죽으시고 다시 살아나심으로 우리가 하나님과 영원히 함께 살 수 있게 하셨어요.

# 가스펠 준비
(10~20분)

## 환영

도착하는 아이들을 반갑게 맞이하고 헌금, 출석, QT 등을 확인하며 격려한다. 새 친구가 있다면 소개한다. 편안한 분위기에서 안부를 물으며 오늘의 말씀과 관련된 화제로 이야기를 나눈다. 아이들에게 부서지거나 망가지면 속상할 것 같은 물건이 있는지 물어본다. 자발적으로 대화에 참여하도록 이끈다.

예) "가지고 있는 물건 중에 망가지면 속상할 것 같은 물건이 있나요?", "아끼는 것이 망가져서 슬펐던 적이 있나요?", "왜 속상했을까요?" 등.

— 오늘 우리는 느헤미야라는 사람에 관한 이야기를 들을 거예요. 느헤미야는 유다 사람들의 고향 예루살렘이 폐허가 되었고, 유다 사람들도 안전하지 않다는 소식을 듣고 마음이 너무나 아팠어요.

## 마음 열기

**진짜 메시지 ***

① 아이들을 한 줄로 세운다.

② 맨 앞에 있는 아이에게 아래 문장 중 하나를 속삭여 말해 준다.

- 우리가 그렇지 않을 때에도 하나님은 항상 신실하세요.
- 느헤미야는 예루살렘의 소식을 들었어요.
- 느헤미야가 예루살렘에 갔어요.
- 느헤미야가 예루살렘에 사람을 보냈어요.
- 예루살렘 성문이 불탔어요.
- 느헤미야가 울면서 금식했어요.
- 느헤미야가 배고파서 울었어요.
- 왕은 느헤미야를 혼냈어요.

③ 자신이 들은 문장을 다음 순서의 아이에게 속삭여 말해 주라고 한다.

④ 마지막에 있는 아이는 들은 문장을 큰 소리로 말하고 그 문장이 참인지 아닌지 대답하라고 한다.

⑤ 정해진 시간 안에서 문장을 바꾸어 놀이를 반복한다.

— 여러 사람을 거쳐 말이 전해지면 내용이 뒤죽박죽될 수 있어요. 우리는 오늘 성경 이야기를 통해 느헤미야가 예루살렘성에 관한 소식을 어떻게 들었는지 살펴볼 거예요. 느헤미야는 그 소식이 진짜인지 알아보기 위해 예루살렘으로 갔어요.

**벽을 세우자 ***

준비물 이쑤시개(스파게티면), 마시멜로, 그릇

① 아이들을 3~4팀으로 나누고, 이쑤시개와 마시멜로를 한 그릇씩 나눠 준다.

② 아이들에게 주어진 재료로 벽을 세워 보라고 한다.

③ 각 팀이 만든 작품을 보여 주고 설명하는 시간을 갖는다.

— 여러분이 세운 벽은 얼마나 튼튼한가요? 적군이 쳐들어와도 맞서 견딜까요? 감사하게도 오늘 성경 이야기에 나오는 유다 백성에게는 이쑤시개와 마시멜로보다 더 튼튼하고 좋은 건축 재료들이 있었어요! 느헤미야가 하나님의 백성이 예루살렘 성벽을 다시 세울 수 있도록 도와 달라고 어떻게 기도했는지, 페르시아의 왕은 어떻게 그들에게 필요한 건축 재료를 주었는지 들어 보기로 해요.

## 들어가기

**준비물** 운동복, 운동 가방

운동복을 입고 커다란 운동 가방을 들고 들어온다. 바닥에 운동 가방을 내려놓고 팔을 쭉 편다.

안녕하세요, 여러분! 또 만나게 되어 정말 기뻐요. 저는 철인 3종 경기를 위해 계속 훈련하고 있어요. 훈련할 때마다, 체력이 강해지는 느낌이에요! 안타깝게도 경기 코스 중 일부가 큰 폭풍으로 피해를 당해 보수해야 한다는 나쁜 소식을 들었어요! 아무쪼록 경기가 열리기 전에 공사가 잘 끝나면 좋겠어요.

여러분도 그런 나쁜 소식을 들은 적 있나요? 나쁜 일이 일어나면 실망하게 되지만, 감사하게도 우리는 하나님이 여전히 모든 것을 책임지신다는 사실을 믿고 의지할 수 있어요! **하나님은 약속을 지키시나요? 신실하신 하나님은 언제나 약속을 지키세요.**

이 일은 오늘의 성경 이야기를 생각나게 해요. 느헤미야는 유다에서 온 사람들에게 나쁜 소식을 듣게 된답니다.

## 연대표

연대표를 가리키며, 하만에 의해 죽을 뻔했던 페르시아의 유다 사람들을 구하기 위해 하나님이 에스더를 사용하셨다는 사실을 아이들에게 일깨워 준다. 그런 다음 연대표에서 오늘의 성경 이야기를 가리킨다.

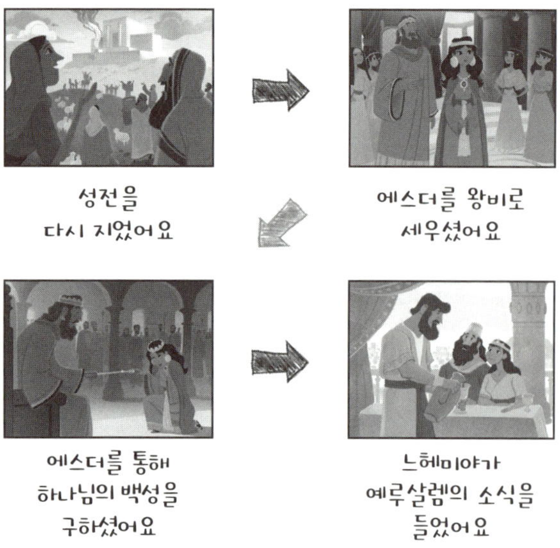


느헤미야는 페르시아에 사는 유다 사람이었어요. 여러 해 전 유다 사람들은 바벨론에 포로로 잡혀 왔어요. 페르시아가 바벨론을 침략한 후 페르시아의 왕은 유다 사람들에게 고향으로 돌아가도 좋다고 허락했어요. 유다 사람 중 일부는 고향으로 돌아갔지만, 페르시아에 남은 사람들도 있었어요.

느헤미야는 페르시아 왕에게 술을 따르는 관리였어요. 왕의 술에 아무도 독을 타지 못하도록 확인하는 일을 맡았지요.

## 성경의 초점

지난 몇 주 동안 우리는 **"하나님은 약속을 지키시나요?"**라고 질문했어요. 이 질문에 대한 답은 **"신실하신 하나님은 언제나 약속을 지키세요"**예요. 이 사실을 보여 주는 성경 이야기들도 들었어요. 오늘 성경 이야기를 들으면서 하나님이 어떻게 하나님의 백성에게 신실하셨는지 잘 찾아보세요.

## 성경 이야기

DVD 느헤미야 1~2장을 펴고, 설교 영상(지도자용 팩)을 보여 주거나 이야기 성경을 들려준다.

예루살렘은 하나님의 백성에게 특별한 곳이었어요. 예루살렘 성벽과 성문이 허물어졌다는 소식을 들었을 때 느헤미야는 어떤 기분이었나요? (느헤미야는 슬펐다)

성벽과 성문이 무너졌기 때문에 하나님의 백성은 적으로부터 자신을 보호할 수 없었어요!

느헤미야는 백성에게 하신 약속을 기억해 달라고 하나님께 기도했어요. 하나님의 백성이 예루살렘 성벽을 다시 세울 수 있도록 도와 달라고 기도했어요.

느헤미야는 하나님이 그의 백성을 돌보고 거할 곳을 주겠다고 하신 약속을 믿었어요. **하나님은 약속을 지키시나요? 신실하신 하나님은 언제나 약속을 지키세요.**

우리가 예수님을 믿으면 하나님은 우리를 하나님의 가족으로 받아 주세요. 예수님을 믿는다는 것은 하나님께서 하나님의 백성인 우리에게 거할 곳을 주겠다고 하신 약속을 믿는 거예요. 예수님은 하나님께 온전히 순종하셔서 십자가에서 죽으시고 다시 살아나심으로 우리가 하나님과 영원히 함께 살 수 있게 하셨어요.

**복 / 습 / 질 / 문**

1 느헤미야는 무슨 일을 했나요?

왕을 위해 술을 따르는 관원이었다 (느 1:11)

2 느헤미야는 무슨 소식을 들었나요?

예루살렘의 성이 무너지고 성문이 불탔다는 소식을 들었다 (느 1:3)

3 소식을 들은 느헤미야는 무엇을 했나요?

며칠 동안 슬퍼하고, 금식하며 하나님께 기도했다 (느 1:4)

4 아닥사스다왕은 느헤미야를 보고 무엇을 알아차렸나요?

느헤미야의 마음에 근심이 있음을 알아챘다 (느 2:2)

5 느헤미야는 왕에게 어떤 부탁을 했나요?

자신을 유다 땅으로 보내 무너진 성을 다시 세우게 허락해 달라고 말했다 (느 2:5)

6 왕은 느헤미야가 예루살렘성을 다시 세우는 일을 돕기 위해 무엇을 주었나요?

느헤미야가 예루살렘까지 안전하게 여행하게 하고, 왕의 숲에서 나무를 가져갈 수 있다고 허락하는 편지를 써 주었다 (느 2:7~8)

7 예루살렘에 도착한 느헤미야는 무엇을 했나요?

무너진 성벽을 살펴보고, 유다 사람들에게 성벽을 다시 세우자고 말했다 (느 2:11~18)

**8 하나님은 약속을 지키시나요?**

**신실하신 하나님은 언제나 약속을 지키세요.**

## 복음 초청

성경과 63쪽 복음 초청 가이드를 이용해서 아이들에게 그리스도인이 되는 법을 설명해 준다. 따로 상담해 줄 사람을 정해 주고 궁금한 점이 있으면 물어보도록 격려한다.

이 시간 예수님을 마음에 모시고 싶은 친구는 함께 기도해요.

## 기도

하나님, 하나님의 백성에게 말씀하신 모든 것을 이루시는 하나님을 찬양합니다. 우리를 하나님의 백성으로 불러 주시고, 예수님을 믿는 사람들을 예수님과 함께 하나님의 집에서 영원히 살게 해 주셔서 감사합니다. 날마다 신실한 하나님의 약속을 믿으며, 예수님처럼 하나님께 순종할 수 있도록 우리를 인도해 주세요. 예수님의 이름으로 기도합니다. 아멘.

## 찬양

주의 인자와 긍휼이

하나님의 크신 계획 결코 변하지 않고
하나님의 크신 사랑 영원무궁하네
주의 구원 바라보며 잠잠히 나아갈 때에
주님의 신실하심은 우릴 인도하시리

주의 사랑은 영원하며 주의 말씀은 능력이시라
주의 약속을 믿는 자는 구원함을 얻을 것이라

주의 인자와 긍휼이 무궁하시며 아침마다 새롭고 늘 새로우시나니
주의 백성들은 기뻐하고 주의 선하심은 영원하심이라.

DVD ※지도자용 팩 또는 가스펠 프로젝트 홈페이지(gospelproject.co.kr)에서 이용하세요.

## 적용

TIP 설교 도입이나 적용으로 활용하거나 영상을 본 뒤 소그룹으로 나누어 풍성한 대화를 이어 갈 수 있습니다.

**느헤미야는 하나님의 백성이 예루살렘 성벽을 다시 세울 수 있도록 도와 달라고 하나님께 기도했어요.** 어려움을 겪는 사람을 볼 때 여러분은 어떻게 하나요? 영상을 보면서 생각해 보세요.

DVD 적용 예화 영상(지도자용 팩)을 보여 준다.

다른 사람들을 돕기 어려운 이유는 무엇인가요? 어떻게 하면 어려운 사람들을 기꺼이 도울 수 있을까요?

하나님은 우리가 도움이 필요한 사람들에게 관심을 보이기 원하세요. 하나님은 도움이 필요한 우리에게 관심을 가지고 아들이신 예수님을 보내 우리를 대신해 십자가에서 죽게 하셨어요! 우리는 다른 사람들을 위해 기도할 수 있고, 예수님에 관한 복음을 전하면서 그들을 도울 수 있어요.

# 가스펠 **소그룹**
(10~20분)

## 나침반

### 퍼즐을 맞춰요

준비물 2단원 암송(109쪽), 가위, 지퍼백, 유성펜

① 2단원 암송 구절을 인원수만큼 복사한다.

② 암송 구절 종이를 여러 조각으로 잘라 자신만의 퍼즐을 만들어 보라고 한다.

③ 친구와 퍼즐을 바꿔 조각을 맞춰 보라고 한다.

④ 퍼즐을 완성하면, 암송 구절을 소리 내서 읽으라고 한다.

⑤ 아이들이 만든 퍼즐을 각각 지퍼백에 넣어 아이들의 이름을 써서 주고 집에서도 단원 암송을 외울 때 활용하게 한다.

— 퍼즐 조각이 흩어진 것처럼 예루살렘 성벽도 산산조각이 났어요. 느헤미야는 자기 민족이 그 성벽을 다시 세우도록 돕고 싶었어요. 2단원 암송은 신실하신 하나님을 떠올리게 해요. 하나님은 정말 자비로운 분이세요. 절대 우리를 포기하지 않으시고 사랑하세요.

## 보물 지도

### 이야기를 완성하라!

준비물 성경, 색인 카드, 펜

① 오늘의 성경 이야기와 관련한 문장들을 색인 카드에 각각 적어 둔다.

② 아이들에게 성경에서 느헤미야 1~2장을 찾으라고 한다.

③ 색인 카드를 뒤집어서 예배실 바닥에 흩어 놓는다.

④ 아이들에게 협력해서 문장들을 순서대로 정리해보라고 한다.

⑤ 정리가 끝나면 순서대로 함께 문장을 읽는다.

**색인 카드에 써넣을 문장**

1 어느 날 유다에서 온 몇몇 사람이 느헤미야에게 말했어요. "예루살렘을 둘러싼 성벽은 무너졌고, 성문은 모두 불에 탔습니다."

3 느헤미야는 주저앉아 울었어요. 너무 슬퍼서 며칠 동안 아무것도 먹지 않으며 기도했어요.

4 왕은 "네 얼굴이 왜 그리 슬퍼 보이느냐? 마음에 걱정이 있는 것이 분명하다"라고 느헤미야에게 말했어요.

5 느헤미야는 하나님께 기도한 후 왕에게 말했어요. "저를 유다로 보내 그 성을 다시 세울 수 있게 해 주십시오."

6 왕은 느헤미야가 안전하게 유다에 다녀올 수 있도록 편지를 써 주었어요.

7 느헤미야는 예루살렘에 도착했어요.

8 3일 후, 느헤미야는 한밤중에 일어나 성벽을 살펴보러 나갔어요.

9 느헤미야는 유다 백성에게 말했어요. "자, 이제 힘을 모아 예루살렘 성벽을 다시 세웁시다."

10 사람들은 느헤미야와 함께 성벽을 다시 세우기 시작했어요.

## 탐험하기

### 우리가 들은 소식은?

준비물 학생용 교재 32쪽, 연필

친구와 짝을 지어 서로 묻고 답하며 빈칸을 채워 문장을 완성해 보세요.

❶ ________ 은(는) 어제 ❷ ________ 과(와) ❸ ________ 에서 ❹ ________ (한) 일을 했다.
❺ ________ 에 있는 ❻ ________ 과(와) ❼ ________ 을(를) 사용해 ❽ ________ 다.

윗 문장의 답을 숫자에 맞게 써넣어 엉뚱한 문장을 완성해 보세요. 무슨 일이 일어났나요?

❶ ________ 은(는) ❷ ________ 에게 말했어요.
❸ ________ 이(가) ❹ ________ (한) 어려움을 겪고 있습니다. ❺ ________ 을(를) 둘러싼
❻ ________ 은(는) 무너졌고 ❼ ________ 은(는) 모두 불에 ❽ ________ (니)다.

윗 문장은 느헤미야 1장 2~3절에 기록된 사건이에요.
실제로 무슨 일이 일어났는지 성경을 찾아 바른 답을 써넣어 보세요.

❶ 그들 은(는) ❷ 느헤미야 에게 말했어요.
❸ 예루살렘 이(가) ❹ 큰 (한) 어려움을 겪고 있습니다. ❺ 예루살렘 을(를) 둘러싼
❻ 성벽 은(는) 무너졌고 ❼ 성문 은(는) 모두 불에 ❽ 탔습 (니)다.

① 친구와 짝을 지어 서로 묻고 답하며 대답한 내용으로 첫 번째 문장의 빈칸을 채워 완성하게 한다. 답을 할 때는 실제로 일어난 일을 생각하거나, 어떤 일을 상상하며 이야기하라고 말해 준다.

② 첫 번째 문장의 답을 두 번째 문장에 써넣은 후 서로 읽어 보게 한다.

③ 두 번째 문장은 느헤미야 1장 2~3절에 기록된 사건이라는 것을 알려 주고 성경을 찾아 바른 답을 써넣게 한다.

— 느헤미야는 예루살렘의 성벽과 성문이 허물어졌다는 소식을 들었어요. 그 소식을 듣고 너무나 슬펐어요. **느헤미야는 하나님의 백성이 예루살렘 성벽을 다시 세울 수 있도록 도와 달라고 하나님께 기도했어요.** 하나님은 느헤미야의 기도를 들으시고 응답하셨어요.

### Yes 혹은 No

**준비물** 학생용 교재 33쪽, 연필

아이들에게 짝수를 찾아 색칠하고 빈칸에 알맞은 답을 찾아 쓰라고 한다.

| 26 | 154 | 22 | 81 | 156 | 92 | 288 | 17 | 138 | 158 | 50 | 160 | 1 | 162 | 24 | 118 | 71 | 164 |
|---|---|---|---|---|---|---|---|---|---|---|---|---|---|---|---|---|---|
| 144 | 8 | 276 | 33 | 64 | 4 | 278 | 41 | 280 | 10 | 282 | 68 | 21 | 284 | 136 | 286 | 95 | 42 |
| 40 | 226 | 49 | 30 | 128 | 228 | 2 | 55 | 108 | 36 | 230 | 51 | 232 | 110 | 234 | 60 | 5 | 236 |
| 112 | 194 | 57 | 101 | 196 | 848 | 198 | 15 | 142 | 82 | 200 | 103 | 67 | 202 | 72 | 204 | 19 | 206 |
| 290 | 13 | 292 | 294 | 63 | 106 | 296 | 73 | 298 | 300 | 65 | 302 | 58 | 109 | 304 | 306 | 43 | 308 |
| 87 | 256 | 258 | 114 | 20 | 93 | 262 | 83 | 264 | 113 | 266 | 268 | 46 | 270 | 23 | 272 | 75 | 274 |
| 74 | 182 | 54 | 12 | 184 | 130 | 10 | 25 | 66 | 32 | 188 | 116 | 186 | 134 | 190 | 70 | 3 | 192 |
| 166 | 94 | 68 | 96 | 148 | 126 | 170 | 76 | 140 | 56 | 20 | 61 | 47 | 97 | 39 | 115 | 59 | 44 |
| 146 | 208 | 35 | 210 | 38 | 104 | 212 | 32 | 214 | 6 | 216 | 80 | 218 | 78 | 220 | 222 | 9 | 224 |
| 52 | 238 | 77 | 240 | 102 | 242 | 16 | 244 | 62 | 246 | 98 | 1 | 105 | 27 | 117 | 99 | 31 | 248 |
| 100 | 172 | 53 | 28 | 48 | 122 | 174 | 124 | 152 | 34 | 176 | 79 | 178 | 120 | 150 | 180 | 14 | 88 |
| 18 | 250 | 7 | 45 | 91 | 111 | 21 | 89 | 52 | 86 | 254 | 69 | 11 | 107 | 37 | 29 | 85 | 90 |

하나님은 약속을 지키시나요?

신 실 하신 하나님은 언제나 약속을 지키세요.

— **하나님은 약속을 지키시나요? 신실하신 하나님은 언제나 약속을 지키세요.** 느헤미야는 하나님이 약속하신 것을 반드시 이루신다는 사실을 잘 알았어요. 하나님은 하나님의 백성을 보호하고 그들과 영원히 함께하겠다고 말씀하셨어요. 느헤미야는 하나님이 약속을 지키실 것을 믿었어요. 그 약속을 기억하며 울며 금식하며 기도했어요. 하나님은 느헤미야의 기도를 들으셨어요. 하나님은 언제나 우리의 기도를 들으세요.

### 무엇이 보이니? *

**준비물** 고깔모자 2개, 플라스틱 컵(빨강, 노랑, 흰색) 10개씩

① 고깔모자 제일 윗부분을 잘라 지름 2cm 정도의 구멍을 뚫어 둔다.

② 예배실 한쪽 바닥에 여러 가지 색깔의 컵을 섞어서 놓는다.

③ 아이들을 2팀으로 나누고, 팀별로 줄 세운다. 팀별로 가져올 컵의 색을 정하게 한다.

④ 각 팀에서 한 사람씩 나와 고깔모자를 얼굴 앞으로 쓰고 자기 팀의 컵을 하나씩 가져와 쌓으라고 한다.

⑤ 컵을 가장 많이 쌓은 팀이 이긴다.

— 느헤미야는 예루살렘의 소식을 듣고 눈물이 났어요. **느헤미야는 하나님의 백성이 예루살렘 성벽을 다시 세울 수 있도록 도와 달라고 하나님께 기도했어요.** 마침내 느헤미야는 그들을 돕기 위해 예루살렘으로 갔어요. 그리고 하나님께 기도하며 무너진 성벽을 쌓았어요. 하나님은 기도를 들으시는 분이세요. 예수님을 믿는다는 것은 하나님이 하나님의 백성인 우리에게 거할 곳을 주겠다고 하신 약속을 믿는 거예요. 예수님은 하나님께 온전히 순종하셔서 십자가에서 죽으시고 다시 살아나심으로 우리가 하나님과 영원히 함께 살 수 있게 하셨어요.

## 보물 상자

### 나만의 기록장

**준비물** 학생용 교재 34쪽, 연필

하나님께 도와 달라고 도움을 구할 수 있는 일은 어떤 것이 있는지 써 보라고 한다.

— **느헤미야는 하나님의 백성이 예루살렘 성벽을 다시 세울 수 있도록 도와 달라고 하나님께 기도했어요.** 느헤미야처럼 우리도 하나님의 도움이 필요해요. 우리의 삶에는 하나님의 도움 없이 이룰 수 있는 일들은 없어요. 이번 한 주 동안 하나님께 도움을 구하는 기도를 해보세요!

### 메시지 카드

이번 주 메시지 카드로 부모님과 함께 오늘 배운 성경 이야기를 나누어 보라고 한다.

### 기도

하나님, 언제나 우리와 함께해 주셔서 감사합니다. 느헤미야가 예루살렘을 위해 기도한 것처럼 우리도 어렵고 힘든 일이 있을 때 하나님께 기도할 수 있도록 도와주세요. 언제나 우리를 도우시는 하나님을 기억하며, 날마다 하나님을 더 의지할 수 있도록 인도해 주세요. 예수님의 이름으로 기도합니다. 아멘.

# 9

# 예루살렘 성벽을 다시 세웠어요

느 3:1~6:16

**단원 암송**

여호와의 인자와 긍휼이 무궁하시므로
우리가 진멸되지 아니함이니이다
이것들이 아침마다 새로우니
주의 성실하심이 크시도소이다
(애 3:22~23).

**성경의 초점**

하나님은 약속을 지키시나요?
신실하신 하나님은 언제나 약속을
지키세요.

## 본문 속으로

바벨론 사람들은 하나님의 백성을 바벨론으로 끌고 가면서 예루살렘을 파괴했습니다. 여러 해가 지난 후 하나님의 백성이 성전을 다시 세우기 위해 돌아왔지만 반대에 부딪혀 예루살렘 재건을 중단했습니다(스 4:7~24 참조). 성을 둘러싼 성벽과 성문은 계속 무너진 채로 있었습니다.

성경 시대에는 성벽과 성문이 아주 중요했습니다. 성벽은 적에 맞서 성을 안전하게 보호하는 역할을 했기 때문에 가능한 한 두껍게 쌓았습니다. 성문은 도시 생활의 중심으로, 시장이 서거나 사람들이 모이는 장소였습니다. 예루살렘은 성벽과 성문이 없었기 때문에 이곳에 사는 하나님 백성은 적의 공격을 받기 쉬울 뿐만 아니라 생활에 많은 어려움을 겪었습니다.

느헤미야는 예루살렘 성벽을 재건하기 위해 페르시아에서 예루살렘으로 옵니다. 그는 사람들을 효율적으로 이끌었습니다. 느헤미야 3장은 성문과 성벽을 다시 세우기 위해 모든 백성이 함께 일하는 모습을 보여 줍니다.

하지만 오래지 않아 느헤미야는 하나님의 백성을 공격하려는 그 지역 지도자들의 반대에 부딪혔습니다. 하나님의 백성은 무기를 갖추고 계속 성벽을 쌓았습니다. 그들은 52일 만에 성벽을 완성했습니다.

원수들이 어떻게 반응했는지 보십시오. "우리의 모든 대적과 주위에 있는 이방 족속들이 이를 듣고 다 두려워하여 크게 낙담하였으니 그들이 우리 하나님께서 이 역사를 이루신 것을 앎이니라"(느 6:16).

### ●● 티칭 포인트

이제 하나님의 백성은 원수들에 맞서 자신을 보호할 수 있게 되었습니다. 우리가 원수와 죄와 죽음에서 보호받을 수 있는 길을 하나님이 주셨다는 사실을 아이들이 이해할 수 있도록 도와주십시오. 하나님은 아들이신 예수님을 보내 우리를 대신해 십자가에서 죽게 하셨습니다. 우리는 여전히 죄를 짓지만 더 이상 죄의 노예가 아닙니다(롬 6:17~18 참조). 죄를 지었기 때문에 육체적으로는 죽지만 영원한 생명을 얻습니다(요 11:25~26; 롬 6:23 참조).

**주 제**

하나님은 느헤미야가 하나님의 백성을 이끌고 예루살렘 성벽을 다시 세우게 하셨어요.

**가스펠 링크**

느헤미야는 예루살렘 성벽을 다시 세워 적의 공격을 막을 수 있도록 하나님의 백성을 이끌었어요. 예수님은 원수들로부터 우리를 보호하시기 위해 이 땅에 오셨어요.

## 예루살렘 성벽을 다시 세웠어요 느 3:1~6:16

느헤미야는 하나님의 백성이 성벽을 다시 세울 수 있도록 돕기 위해 예루살렘으로 갔어요. 사람들은 함께 힘을 모아 성벽과 불탄 성문들을 고치기 시작했어요. 예루살렘의 성벽과 성문에는 각각 이름이 있었어요. 어떤 사람들은 '물고기 문'에서 일했어요. 물고기 문은 물고기 시장으로 들어가는 입구였어요. 어떤 사람들은 '양 문'에서 일했지요. 이 문은 사람들이 양을 팔기 위해 모이는 장소로 이어졌어요. '골짜기 문'이나 '옛 문', '말 문'에서 일하는 사람들도 있었어요.

사람들은 성벽에 문과 빗장, 걸쇠를 달았어요. 그리고 돌로 벽의 구멍과 틈을 메웠어요. 사람들은 성 전체를 둘러싸고 나란히 서서 일했어요. 성벽은 금방 절반 높이까지 세워졌어요!

그러나 예루살렘 성벽이 다시 세워지는 것을 좋아하지 않는 사람도 있었어요. 주변에 살던 다른 민족들은 화를 냈어요. 산발랏과 도비야는 "이 사람들은 도대체 무엇을 하는 것이냐? 흙무더기 속에서 다 타버린 돌들로 성벽을 다시 세우겠다는 말이냐? 여우라도 한 마리 올라가면 그들이 쌓은 성벽은 다시 완전히 허물어질 것이다!"라고 말하며 유다 사람들을 비웃었어요.

느헤미야는 기도했어요. 유다 사람들은 계속해서 성벽을 쌓았지만, 원수들은 하나님의 백성을 공격해 성벽 쌓는 일을 중단시키려고 했어요. 하나님의 백성은 기도하면서 당번을 정해 밤낮으로 성벽을 지켰지만, 기가 죽었어요. 그들은 "사방이 우리를 공격하려고 합니다!"라고 말했어요.

느헤미야는 백성에게 용기를 불어넣었어요. "적들을 두려워하지 마십시오. 위대하고 강하신 하나님을 기억하며 힘을 내십시오! 우리 하나님께서 우리를 위해 싸우실 것입니다!" 산발랏과 도비야는 하나님의 백성을 위협했지만, 성벽 공사를 중단시킬 수는 없었어요. 산발랏과 도비야는 성벽 공사의 책임자가 아니었어요. 하나님이 책임자셨지요!

하나님의 백성은 힘을 내어 다시 일했어요. 어떤 사람들은 무기를 든 채 보초를 서고, 어떤 사람들은 성벽에서 일했어요. 한 손에는 무기를 들고 다른 한 손으로 일하는 사람도 있었어요. 만약의 경우 싸울 수 있도록 항상 준비했어요.

느헤미야는 성벽을 다시 세우도록 하나님의 백성을 지혜롭게 이끌었어요. 어떤 문제가 생기든 해결할 수 있도록 도와주었고, 원수들에게 굴복하지 않았어요. 사람들은 계속해서 열심히 일했어요. 그 결과 52일 만에 성벽이 완성되었어요! 성문들은 모두 고쳐졌고, 성벽은 잘 세워졌어요. 예루살렘 성벽이 완성되었다는 소식을 들은 원수들은 하나님이 하나님의 백성과 함께하신다는 사실을 알게 되었어요.

### ●● 가스펠 링크

느헤미야는 예루살렘 성벽을 다시 세워 적의 공격을 막을 수 있도록 하나님의 백성을 이끌었어요. 예수님은 원수들로부터 우리를 보호하기 위해 이 땅에 오셨어요. 예수님은 사람들을 죄와 죽음에서 구하기 위해 십자가에서 죽으시고 죽은 자 가운데서 살아나셨어요.

# 가스펠 준비
(10~20분)

## 환영

도착하는 아이들을 반갑게 맞이하고 헌금, 출석, QT 등을 확인하며 격려한다. 새 친구가 있다면 소개한다. 편안한 분위기에서 안부를 물으며 오늘의 말씀과 관련된 화제로 이야기를 나눈다. 누군가로부터 어떤 도움이나 격려를 받은 적이 있는지 아이들에게 물어본다. 자발적으로 대화에 참여하도록 이끈다.

예) "여러분은 모든 것을 혼자 해낼 수 있나요?", "이전에 누군가의 도움을 받은 적이 있나요?", "누군가에게 격려의 말을 들은 적이 있나요?", "도움을 받거나 격려를 들었을 때 어떤 생각이 들었나요?" 등.

― 하나님은 우리를 격려하고 돕기 위해 우리 주변에 많은 사람을 보내 주셨어요. 모든 일을 혼자 힘으로만 하려고 한다면 어떨까요? 하나님은 우리가 다른 사람과 서로 도움을 주고받도록 창조하셨어요. 하나님은 우리가 함께 어울려 살기 원하세요. 우리는 하나님의 선하심을 알려 주면서 하나님을 신뢰하도록 서로 격려할 수 있어요.

## 마음 열기

**임무 완료! ***

준비물 화이트보드, 보드마커

① 화이트보드에 기둥 3개를 그리고 각 기둥에 '샌드위치 만들기', '여행 준비하기', '스파게티 만들기'라고 이름을 붙인다.

② 아이들에게 각각의 일을 끝마치는 데 필요한 재료나 도구들을 말해 보라고 한다.

③ 아이들이 말하는 내용을 각 기둥에 적는다.

― 오늘 우리는 예루살렘 주변에 성벽을 새로 쌓은 이스라엘 사람들에 관한 성경 이야기를 들을 거예요. 이 일을 끝내려면 많은 재료와 도구가 필요했지만, 무엇보다도 하나님의 도우심이 필요했어요! 원수들은 그들이 성벽을 완성하지 않기를 바랐고, 하나님의 백성은 그 일을 해내기 위해 하나님을 의지했어요.

**블록 넘기기 릴레이 ***

준비물 블록 48개

① 아이들을 2팀으로 나누고, 각각 한 줄로 세운다.

② 각 팀 앞에 블록을 24개씩 쌓아 둔다.

③ 아이들에게 블록을 한 번에 하나씩 뒷사람에게 넘기라고 한다.

④ 각 줄의 맨 끝에 있는 아이는 받은 블록으로 벽을 세워야 한다고 일러 준다.

⑤ 블록으로 먼저 벽을 세운 팀이 이긴다.

― 오늘 우리는 성경 이야기를 통해 하나님이 느헤미야를 사용해 하나님의 백성을 이끌고 예루살렘 성벽을 다시 세우게 하신 이야기를 들을 거예요. 누구도 성벽을 혼자서 세울 수는 없었어요. 이 일을 완성하기 위해 백성은 힘을 합해야 했어요.

혼자서 할 수 없는 어려운 일들을 할 때, 하나님은 언제나 우리에게 필요한 것들을 채워 주세요. 우리는 하나님의 계획을 완성하기 위해 하나님, 가족, 그리고 친구에게 의지할 수 있어요!

# 가스펠 설교
(15~30분)

## 들어가기

준비물 **운동복, 운동 가방, 성경**

운동복을 입고 커다란 운동 가방을 들고 들어온다. 바닥에 운동 가방을 내려놓고 성경을 꺼낸다.

여러분, 다시 만나서 반가워요! 제가 어떤 경기를 위해 훈련하고 있는지 기억하나요? 맞아요, 철인 3종 경기예요. 철인 3종 경기는 수영, 자전거 타기, 달리기로 이루어져 있어요. 그런 큰 경기를 준비하는 것은 쉽지 않기 때문에 친구들의 도움이 많이 필요해요! 혼자서 모든 훈련을 하려면 기운이 금방 빠졌을 거예요. 지치고 포기하고 싶을 때도 계속 훈련할 수 있도록 친구들이 용기를 주었지요. 어떤 일을 그만두고 싶을 때 여러분의 친구들은 어떻게 용기를 북돋워 주나요?

이 일은 오늘의 성경 이야기를 떠올리게 해요. 우리는 하나님이 느헤미야를 사용해 어떻게 하나님의 백성을 이끌고 예루살렘 성벽을 다시 세우게 하셨는지 들을 거예요. 예루살렘 성벽을 세우는 것은 정말 어마어마한 일이었기 때문에, 느헤미야는 그 일을 혼자 할 수 없었어요. 그는 예루살렘에 사는 모든 사람의 도움이 필요했어요. 무엇보다도 하나님의 도움이 가장 필요했어요!

하나님의 말씀은 엄청난 선물이에요. 신실하신 하나님이 모든 것을 책임지신다는 사실을 보여 주면서 용기를 주기 때문이에요.

## 연대표

지난주 우리는 느헤미야에 관해 배웠어요. 느헤미야는 페르시아 왕에게 술을 따르는 관리였어요. 느헤미야는 예루살렘 성벽과 성문이 무너졌다는 소식을 듣고 너무 슬펐어요. 성벽과 성문이 없으면 유다 사람들이 적에게 쉽게 공격당할 수 있기 때문이었어요. **느헤미야는 하나님의 백성이 예루살렘 성벽을 다시 세울 수 있도록 도와 달라고 하나님께 기도했어요.** 연대표에서 오늘의 성경 이야기를 가리킨다. **하나님은 느헤미야가 하나님의 백성을 이끌고 예루살렘 성벽을 다시 세우게 하셨어요.**

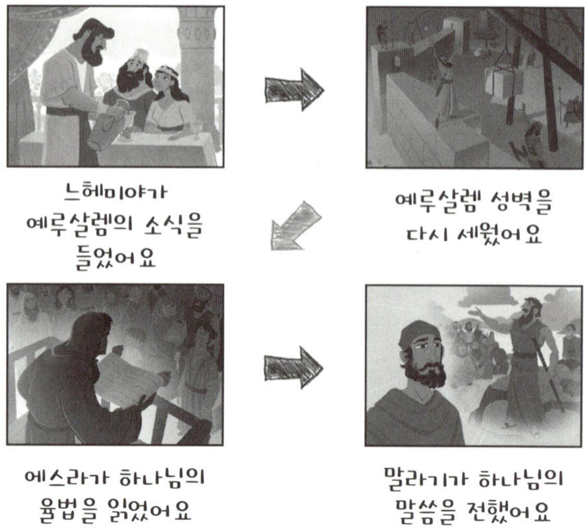


## 성경의 초점

2단원의 '성경의 초점'을 기억하나요? **하나님은 약속을 지키시나요? 신실하신 하나님은 언제나 약속을 지키세요.** 오늘 우리는 하나님이 하나님의 백성을 어떻게 신실하게 돌보셨는지 살펴볼 거예요.

## 성경 이야기

DVD 느헤미야 3~6장을 펴고, 설교 영상(지도자용 팩)을 보여 주거나 이야기 성경을 들려준다.

**느헤미야는 하나님의 백성이 예루살렘 성벽을 다시 세울 수 있도록 도와 달라고 하나님께 기도했어요.** 하나님은 예루살렘성을 다시 세우기로 하셨고, 아무도 이 일을 방해할 수 없었어요! 느헤미야는 하나님이 하나님의 백성을 보호하실 것이라고 믿었고, 유다 사람에게 하나님을 믿으라고 말했어요. 사람들은 두려움에 굴복하지 않고 하나님께 기도했어요. 그리고 하나님은 그들의 기도를 들으셨어요!

낙심하거나 두려웠던 적이 있나요? 때때로 우리에게는 하나님의 신실하심을 일깨워 주는 느헤미야 같은 친구들이 필요해요. **하나님은 약속을 지키시나요? 신실하신 하나님은 언제나 약속을 지키세요.**

유다 사람들처럼 우리도 하나님의 보호와 돌보심이 필요하다는 사실을 알고 있나요? 느헤미야는 사람들과 함께 적들로부터 자신을 보호할 예루살렘 성벽을 다시 세웠어요. 예수님은 우리를 적으로부터 보호하기 위해 오셨어요. 예수님은 사람들을 죄와 죽음에서 구하기 위해 십자가에서 죽으시고 죽은 자 가운데서 살아나셨어요.

우리의 적인 죄는 우리 마음속에 있기 때문에 벽으로는 막을 수 없어요. 우리 마음을 죄로부터 보호하시고 깨끗하게 하시는 예수님을 의지해야 해요! 예수님이 우리를 구원하기 위해 오셨기 때문에 죄를 두려워할 필요가 없어요! 예수님을 믿으면 하나님은 우리의 죄를 용서하세요!

**복/습/질/문**

1 느헤미야는 예루살렘에서 무엇을 하고 싶었나요?

성벽을 다시 세우고 싶었다 (느 2:17)

2 새로 세운 성문의 이름을 2개 이상 말해 보세요.

양 문, 어문(물고기 문), 옛 문, 골짜기 문, 분문(거름 문), 샘 문(물 문), 마문(말 문) (느 3:3~32)

3 예루살렘 성벽이 세워지는 것을 방해한 사람은 누구인가요?

산발랏과 도비야 (느 2:19, 4:7)

4 느헤미야와 성벽을 세우는 사람들은 원수들에게 어떻게 맞섰나요?

보초를 정하고, 무기를 가지고 일했다 (느 4:21~23)

5 사람들이 성벽을 완성하기까지 며칠 걸렸나요?

52일 (느 6:15)

6 유다 사람들이 성벽을 다시 세우도록 누가 도와주었나요?

하나님 (느 6:16)

**7 하나님은 약속을 지키시나요?**

**신실하신 하나님은 언제나 약속을 지키세요.**

## 복음 초청

성경과 63쪽 복음 초청 가이드를 이용해서 아이들에게 그리스도인이 되는 법을 설명해 준다. 따로 상담해 줄 사람을 정해 주고 궁금한 점이 있으면 물어보도록 격려한다.

이 시간 예수님을 마음에 모시고 싶은 친구는 함께 기도해요.

## 기도

하나님, 느헤미야의 기도를 들으시고 예루살렘 성벽을 다시 세울 수 있도록 도와주셔서 감사합니다. 우리도 어려운 일이 있을 때 느헤미야처럼 기도하며 하나님만 믿고 따라갈 수 있도록 인도해 주세요. 우리 마음을 죄에서 보호하시고, 우리를 구원하시는 예수님을 의지하게 해 주세요. 예수님의 이름으로 기도합니다. 아멘.

## 적용

TIP 설교 도입이나 적용으로 활용하거나 영상을 본 뒤 소그룹으로 나누어 풍성한 대화를 이어 갈 수 있습니다.

하나님의 백성은 예루살렘 성벽을 다시 세우기 위해 열심히 일했어요. 여러분은 해야 할 일이나 숙제를 항상 열심히 하나요? 함께 영상을 보기로 해요.

DVD 적용 예화 영상(지도자용 팩)을 보여 준다.

제대로 된 방법으로 열심히 그림을 그린 아이와 서둘러 빨리 끝내 버린 아이 중 누가 자신의 그림을 더 자랑스러워할까요? 일하면서 요령을 피우거나 대충 일하고 싶었던 적이 있었나요? 있었다면 왜 그러고 싶었나요? 열심히 노력해서 원하던 일을 이루었을 때 기분이 어땠나요? 왜 모든 일에 최선을 다해야 하는지 이야기를 나눈다.

하나님은 우리가 하나님을 예배하듯이 모든 일을 열심히 바르게 하기를 원하세요.

# 가스펠 **소그룹**
(10~20분)

## 나침반

### 기둥을 세우자

준비물 2단원 암송(109쪽), 포스트잇, 블록

① 포스트잇에 암송 구절을 어절 단위로 써 블록에 붙여 둔다. 모두 2세트를 만든다.

② 아이들을 2팀으로 나누고, 함께 힘을 모아 암송 구절 순서에 맞게 블록으로 벽을 쌓으라고 한다.

③ 벽이 순서대로 완성되었는지 확인하고, 암송 구절을 함께 큰 소리로 읽는다.

— 벽을 세우기 위해 힘을 모으니 어떤 점이 쉬웠나요? 어려운 점은 무엇이었나요? **하나님은 느헤미야가 하나님의 백성을 이끌고 예루살렘 성벽을 다시 세우게 하셨어요.** 다른 사람과 함께 일하기가 항상 쉬운 것은 아니지만, 하나님의 말씀은 우리가 다른 사람들과 서로 도와가며 살도록 창조되었다는 사실을 일깨워 주어요! 하나님의 뜻을 이루기 위해 우리는 서로의 도움이 필요해요.

## 보물 지도

### 기억해요!

준비물 성경

① 아이들에게 성경에서 느헤미야 3장 1절부터 6장 16절까지 찾으라고 한다.

② 오늘 성경 이야기 중에 기억나는 내용을 이야기해 보라고 한다.

③ 인도자가 아이들에게 복습 질문을 한다.

④ 아이들이 답을 말하지 못하면, 성경에서 해당하는 구절을 찾아 소리 내어 읽게 한다.

1 진실 혹은 거짓: 예루살렘 성벽이 다시 세워지자 모두 좋아했어요.

거짓, 예루살렘 주변에 사는 민족들을 화가 났다 (느 4:1~3)

2 유다 사람들이 성벽을 세우는 일을 방해한 사람은 누구인가요?

산발랏과 도비야 (느 4:1~3)

3 원수들의 반대에 부딪혔을 때 유다 사람들은 어떻게 했나요?

하나님께 도와 달라고 기도했다 (느 4:4~5)

4 느헤미야는 사람들을 어떻게 격려했나요?

적들을 두려워하지 말고, 크고 두려우신 하나님을 기억하며 싸우라고 말했다 (느 4:14)

5 예루살렘 성벽은 며칠 만에 완성되었나요?

52일 (느 6:15)

6 **하나님은 약속을 지키시나요?**

**신실하신 하나님은 언제나 약속을 지키세요.**

— **하나님은 느헤미야가 하나님의 백성을 이끌고 예루살렘 성벽을 다시 세우게 하셨어요.** 성경 이야기를 들을 때마다 항상 새로운 것을 배울 수 있어요. 하나님의 말씀은 살아 움직이기 때문에 우리가 성경을 읽을 때마다 하나님은 더 많은 것을 보여 주세요!

## 탐험하기

### 틱톡, 틱톡!

준비물 학생용 교재 36쪽, 연필

① 아이들에게 노란 액자에 좋아하는 동물을 10초 동안 그리게 한다.

② 이번에는 파란 액자에 같은 동물을 2~3분 동안 그리게 한다.

③ 어떤 그림이 더 좋아 보이는지, 왜 그렇게 생각하는지 아이들과 이야기를 나눈다.

— 두 번째 그린 그림이 더 좋아 보이지요? 느헤미야는 하나님께 기도하며 매일 열심히 일했어요. 때로는 힘들고 어려웠지만, 느헤미야는 포기하지 않고 하나님의 일을 했어요. 우리도 어떤 일을 할 때 힘들고 지칠 때가 있어요. 그때마다 하나님께 기도하면 하나님이 도와주세요. 하나님은 우리를 위해 하나뿐인 아들 예수님을 보내 주셨어요.

### 52일의 기적

준비물 학생용 교재 37쪽, 연필

① 느헤미야와 하나님의 백성이 단 52일 만에 성벽 공사를 마쳤다는 것을 알려 준다.

② 벽돌에 쓰인 글자를 성벽의 빈 곳에 알맞게 넣어 문장을 완성하게 한다.

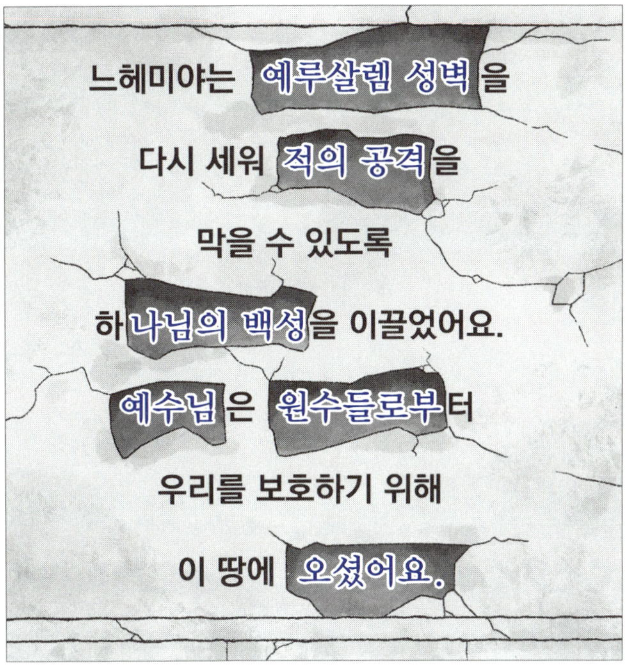


— 느헤미야는 사람들과 협력해 하나님이 맡기신 일을 완성했어요. 어떤 일을 할 때 어렵고 힘들 때가 있어요. 그럴 때는 하나님께 기도해 보세요. 하나님이 힘도 주시고 함께 할 사람들도 보내 주실 거예요. 하나님을 믿는 사람들은 함께 도우며 살아야 해요. 하나님은 우리를 돕기 위해 하나뿐인 아들 예수님을 보내 주셨어요.

**건설 본부 ***

준비물 블록, 마분지, 사인펜, 가위

① 3~4명의 아이들이 한 팀을 이루게 하고, 예배실 곳곳에 건설 본부를 세우게 한다.

② 각 건설 본부는 재료를 활용해 성문(성벽 출입구)을 세우고, 성문 이름이 적힌 간판을 만들어 달라고 한다.

③ 성경 시대에 성문은 성의 입구였으며, 적의 공격에서 성을 보호하고, 장사나 연설을 하려는 사람들이 모이는 중요한 장소였다고 알려 준다.

④ 각 팀이 만든 성문에 창의적인 이름을 붙여 보라고 한다.

— **하나님은 느헤미야가 하나님의 백성을 이끌고 예루살렘 성벽을 다시 세우게 하셨어요.** 백성은 성문들도 다시 세웠어요. 각 성문에는 물고기 문, 양 문, 골짜기 문, 옛 문과 같이 이름이 있었어요. 성문을 다시 세우면서 백성들은 공동체라는 인식이 강해졌어요. 성벽과 성문들은 사람들을 적의 공격으로부터 보호했어요. 예수님은 우리를 보호하기 위해 이 땅에 오셨어요. 예수님은 사람들을 죄와 죽음에서 구하기 위해 십자가에서 죽으시고 죽은 자 가운데서 다시 살아나셨어요.

## 보물 상자

**나만의 기록장**

준비물 학생용 교재 38쪽, 연필

① 주변에 도움이 필요한 친구나 가족이 있는지 생각해 보라고 한다.

② 이번 주에 친구나 가족을 도우면서 하나님께 영광을 돌릴 방법 3가지를 써 보게 한다.

— 어려운 일이 있을 때 어떻게 하나요? 어려운 일은 우리 마음을 힘들게 만들어요. 하지만 느헤미야처럼 하나님께 기도하면 하나님은 어려운 일들을 도와주세요. 그리고 돕는 사람도 보내 주세요. 예수님이 이 땅에 오셔서 우리를 도우신 것처럼 말이에요. 그리고 우리도 어려움이 있는 친구나 가족을 예수님의 사랑으로 도울 수 있어요.

**메시지 카드**

이번 주 메시지 카드로 부모님과 함께 오늘 배운 성경 이야기를 나누어 보라고 한다.

**기도**

하나님, 느헤미야를 통해 하나님은 언제나 신실한 분이심을 알게 해 주셔서 감사합니다. 무엇보다 우리를 죄에서 구하기 위해 예수님을 이 땅에 보내신 하나님의 신실한 사랑에 감사드립니다. 언제나 우리의 기도를 들으시고 함께하시는 하나님을 기억할 수 있도록 도와주세요. 모든 것을 하나님의 영광을 위해 하길 원합니다. 예수님의 이름으로 기도합니다. 아멘.

# 10

# 에스라가 하나님의 율법을 읽었어요

느 8:1~12

**단원 암송**

여호와의 인자와 긍휼이 무궁하시므로
우리가 진멸되지 아니함이니이다
이것들이 아침마다 새로우니
주의 성실하심이 크시도소이다
(애 3:22~23).

**성경의 초점**

하나님은 약속을 지키시나요?
신실하신 하나님은 언제나 약속을
지키세요.

## 본문 속으로

에스라는 포로 시대의 마지막 제사장이었습니다. 유다 백성의 첫 번째 무리가 예루살렘으로 돌아와 성전을 완성한 지 50여 년이 지나, 에스라가 두 번째 무리를 이끌고 예루살렘으로 돌아왔습니다.

하나님은 느헤미야와 함께하셨듯이 에스라와도 함께하셔서 페르시아의 왕이 에스라에게 호의를 베풀게 하셨습니다. 왕은 에스라에게 예루살렘으로 가도 된다고 허락합니다. 그리고 국고를 사용하고 안전한 여행을 할 수 있도록 에스라에게 편지를 써 줍니다(스 7:11~26 참조).

에스라는 한 가지 목적을 가지고 예루살렘을 향했습니다. 70년 동안 포로 생활을 했던 하나님의 백성은 어떻게 살아야 하는지 다시 배워야 했습니다. *학자이기도 했던 에스라는 모세 율법의 전문가였고, "여호와의 율법을 연구하여 준행하며 율례와 규례를 이스라엘에게 가르치기로 결심"했습니다(스 7:10).

에스라는 하나님의 백성이 느헤미야의 지도로 예루살렘 성벽을 다시 세운 후에 예루살렘에 도착했습니다. 사람들은 모세의 율법을 듣기 위해 '물 문' 앞 광장에 모였습니다. 남자, 여자, 어린아이 등 알아들을 수 있는 사람이면 누구나 에스라가 읽어 주는 하나님 말씀을 들으려고 왔습니다.

이른 아침부터 정오까지 에스라는 모세의 율법책을 읽었습니다. 그는 모든 백성이 보고 들을 수 있도록 높은 나무 강단 위에 섰습니다. 에스라는 율법책을 폈고, 백성은 모두 일어섰습니다. 레위 사람들은 율법에 쓰인 말씀을 백성이 듣고 이해할 수 있도록 도와주었습니다.

하나님의 백성은 모세 율법을 듣고 깨달으며 강렬하게 반응했습니다. 느헤미야 8장 9절은 백성이 말씀을 듣고 울었다고 말합니다. 율법으로 그들의 죄가 드러났기 때문입니다.

### 티칭 포인트

하나님의 말씀은 강력합니다. 하나님의 율법은 우리의 죄 그리고 우리가 하나님의 기준에 얼마나 미치지 못하는지 드러냅니다. 아이들을 가르칠 때 우리는 우리의 힘만으로는 하나님의 요구에 맞출 수 없다는 사실을 깨달을 수 있도록 도와주십시오. 우리에게는 구원자가 필요합니다. 하나님은 예수님을 보내 완벽하게 율법을 지키고 우리의 죄를 대신 지고 죽게 하셨습니다. 우리는 예수님을 믿음으로써 구원을 얻을 수 있습니다.

*학자 : 학문을 연구하는 사람

**주 제**

에스라가 하나님의 말씀을 읽자, 백성은 그들의 잘못을 깨달았어요.

**가스펠 링크**

성경은 예수님이 '말씀'이라고 말해요. 예수님은 우리의 마음을 변화시킬 힘이 있어요.

## 에스라가 하나님의 율법을 읽었어요 느 8:1~12

예루살렘을 둘러싼 성벽이 드디어 완성되었어요! 백성은 하나님의 도움으로 52일 만에 성벽과 성문을 완성할 수 있었어요. 예루살렘에 있는 모든 사람은 이른 아침에 성문 앞 광장으로 모였어요. 남자, 여자, 어린아이 등 말을 알아들을 수 있는 사람은 누구나 에스라가 읽어 주는 하나님의 말씀을 들으려고 나왔어요.

해가 뜨자마자 제사장인 에스라가 하나님이 백성에게 주신 모세의 율법책을 가지고 나왔어요. 하나님의 말씀은 두루마리에 쓰여 있었어요. 에스라는 높은 나무 강단 위에 서서 읽기 시작했어요.

에스라는 몇 시간 동안 율법책을 읽었고, 사람들은 모두 일어서서 말씀을 열심히 들었어요. 에스라는 하나님을 찬양했고, 사람들은 손을 들어 "아멘! 아멘!"이라고 말했어요. 사람들은 얼굴을 땅에 대고 절하며 하나님을 예배했어요.

그곳에 있던 지도자와 레위 사람들은 에스라가 읽는 말씀을 사람들이 이해할 수 있도록 도와주었어요. 백성은 하나님이 주신 율법을 들으면서 울기 시작했어요. 율법은 하나님이 사람들에게 주신 규칙이었지만, 사람들은 그 규칙을 따르지 않았어요. 이제 그들은 자신이 죄를 지었다는 사실을 깨달았어요.

에스라와 레위 사람들과 느헤미야는 "오늘은 하나님께 거룩한 날입니다. 슬퍼하거나 울지 마십시오"라고 말했어요. 백성은 자신의 죄 때문에 슬펐지만, 이날은 행복한 날이었어요.

에스라는 사람들에게 "집에 가서 잔치를 준비하십시오! 맛있는 음식을 먹고 달콤한 음료를 마시십시오. 아무것도 준비하지 못한 사람들에게 여러분이 준비한 음식을 나누어 주십시오"라고 말했어요. 그리고 "오늘은 우리 주의 거룩한 날이니 슬퍼하지 마십시오. 하나님을 기뻐하는 것이 우리의 힘입니다"라고 말했어요.

백성은 에스라의 말을 따랐어요. 그들은 잔치를 준비했어요. 맛있는 음식을 먹고 달콤한 음료를 마셨어요. 음식과 음료를 준비하지 못한 사람들에게 나누어 주며, 모든 백성이 큰 잔치를 벌였어요. 그들은 하나님의 말씀을 깨달았기 때문에 너무나 기뻤어요.

### 가스펠 링크

하나님의 말씀에는 강한 힘이 있어요. 에스라가 하나님의 말씀을 읽자 사람들은 돌이켜 하나님을 더욱 사랑하게 되었어요. 성경은 예수님이 '말씀'이라고 말해요. 예수님은 사람들과 함께 살기 위해 이 땅에 오신 하나님이세요. 예수님에게는 우리 마음을 변화시킬 힘이 있어요.

# 가스펠 준비
(10~20분)

## 환영

도착하는 아이들을 반갑게 맞이하고 헌금, 출석, QT 등을 확인하며 격려한다. 새 친구가 있다면 소개한다. 편안한 분위기에서 안부를 물으며 오늘의 말씀과 관련된 화제로 이야기를 나눈다. 아이들에게 무슨 책을 좋아하는지 물어본다. 왜 그 책을 좋아하는지 물어본다. 자발적으로 대화에 참여하도록 이끈다.

예) "어떤 책을 좋아하나요?", "지금 읽고 있는 책이 있나요?", "성경 중에서 어느 책을 좋아하나요?" 등.

— 말씀은 하나님이 우리에게 주신 선물이에요! 성경에 있는 모든 이야기는 진짜이고, 그 이야기들은 하나님의 위대한 사랑에 관해 훨씬 더 생생하고 깊이 있는 이야기를 들려준답니다. 오늘 우리는 오래전 하나님의 말씀이 사람들에게 얼마나 큰 영향을 미쳤는지에 관한 성경 이야기를 들을 거예요.

## 마음 열기

### 익숙한 이야기들 *

준비물 표지를 가린 동화책 여러 권

① 많은 사람이 잘 아는 동화책을 여러 권 준비한다. 제목이 보이지 않게 가려 둔다.

② 동화책 속에서 한두 문장을 읽고, 아이들에게 무슨 이야기에 나오는 내용인지 맞혀 보라고 한다.

예1) 어느 날 엄마 돼지가 말했어요. "얘들아, 이젠 너희들도 다 컸으니 각자 자기 집을 짓고 살도록 해라." → 아기 돼지 삼 형제

예2) 옛날 아주 먼 옛날, 착한 아우와 욕심쟁이 형이 살았습니다. 아버지가 물려준 재산은 형이 몽땅 차지해서 동생은 가난하게 살아야 했습니다. 아이가 많은 동생은 아무리 열심히 일해도 살림이 나아지지 않았습니다. → 흥부와 놀부

— 잘 아는 이야기라면 맞힐 수 있었을 거예요. 오늘 우리는 성경 이야기에서 에스라라는 제사장이 사람들에게 하나님의 말씀을 읽어 준 이야기를 들을 거예요. 사람들은 하나님의 말씀을 들으면서 어떤 반응을 보였을까요? 한번 알아보기로 해요.

### 말씀을 찾아라 *

준비물 성경

① 아이들에게 성경에서 느헤미야서를 찾으라고 한다.

② 인도자가 단어를 불러 주면, 느헤미야서에서 그 단어를 찾으라고 한다.

예) 백성, 율법, 이스라엘, 유다, 산발랏, 도비야, 에스라 등.

③ 단어를 가장 먼저 찾아 인도자에게 보여 주는 사람이 점수를 얻는다.

— 성벽을 완성한 하나님의 백성은 에스라가 읽어 주는 모세의 율법에 귀를 기울였어요. 사람들은 모세의 율법을 읽고 깜짝 놀랐어요. 그동안 자신들이 하나님의 말씀을 따르지 않았다는 것을 알게 되었기 때문이에요. 에스라는 사람들에게 하나님께 어떻게 순종할지 가르치기 위해 하나님의 말씀을 읽었어요.

# 가스펠 **설교**
(15~30분)

## 들어가기

준비물 **운동복, 운동 가방, 성경**

운동복을 입고 커다란 운동 가방을 들고 들어온다. 바닥에 운동 가방을 내려놓고 성경을 꺼낸다.

여러분, 안녕하세요! 모두 잘 알다시피 저는 철인 3종 경기를 위해 정말 열심히 훈련하고 있어요. 이제 경기까지 일주일밖에 남지 않았어요! 처음 훈련을 시작했을 때는 모든 것이 정말 힘들었어요. 달리기할 때는 숨을 헐떡였고, 수영할 때는 물을 삼켰고, 자전거를 타는 동안 몇 번씩 자전거에서 떨어졌어요. 하지만 이제는 달리기도, 수영도, 자전거 타기도 훨씬 잘하게 되었어요. 훈련에는 정말 보상이 따른다고 생각해요! 여러분도 무언가를 오랫동안 훈련해서 잘하게 된 경험이 있나요? 아이들의 대답을 기다린다.

우리는 어떤 일에 시간을 더 많이 쓰면 더 잘할 수 있게 되어요. 하나님의 말씀을 아는 일도 마찬가지예요. 하나님의 말씀을 읽는 데 시간을 더 많이 쓸수록 말씀을 더 깊이 알게 된답니다. 하나님의 말씀을 통해 우리는 하나님을 더 잘 알 수 있어요. 성경을 읽지 않으면 하나님이 우리에게 무엇을 가르치고 싶으신지 알 수 없을 거예요. 오늘 성경 이야기를 통해 에스라가 어떻게 하나님의 백성을 가르쳤는지 알게 될 거예요.

## 연대표

느헤미야가 예루살렘의 소식을 들었어요

예루살렘 성벽을 다시 세웠어요

에스라가 하나님의 율법을 읽었어요

말라기가 하나님의 말씀을 전했어요

하나님의 백성은 여러 해 전 바벨론에 포로로 잡혀갔어요. 페르시아 군대가 바벨론을 정복했을 때 페르시아 왕은 이스라엘 사람들에게 고향으로 돌아가도 좋다고 말했어요. 고향으로 돌아간 사람들도 있고, 페르시아에 남은 사람들도 있었지요.

이스라엘 백성의 첫 번째 무리가 예루살렘으로 돌아온 지 50여 년 후, 에스라 제사장이 두 번째 무리를 이끌고 고향으로 돌아왔어요. 연대표에서 오늘의 성경 이야기를 가리킨다. 에스라는 하나님의 백성에게 하나님의 말씀을 일깨워 주어야 한다고 생각했어요. 하나님의 말씀을 읽어 주는 것보다 더 좋은 방법이 있었을까요?

## 성경의 초점

성경 이야기를 듣기 전에 먼저 2단원의 '성경의 초점'을 복습해요. **하나님은 약속을 지키시나요? 신실하신 하나님은 언제나 약속을 지키세요.** 이제 성경 이야기를 들으며 하나님이 백성에게 하나님의 신실함을 어떻게 보여 주시는지 잘 생각해 보세요.

## 성경 이야기

DVD 느헤미야 8장을 펴고, 설교 영상(지도자용 팩)을 보여 주거나 이야기 성경을 들려준다.

**하나님은 약속을 지키시나요? 신실하신 하나님은 언제나 약속을 지키세요.** 성경 이야기에서 하나님은 하나님의 백성에게 어떻게 신실하셨나요? 아이들의 대답을 기다린다. 하나님의 백성은 포로 생활을 하는 동안 하나님을 잊었어요. 에스라는 그들에게 하나님 말씀을 들려주는 것이 중요하다고 생각했어요. 그 덕분에 하나님의 백성은 하나님의 율법과 그들을 향한 하나님의 목적을 기억해낼 수 있었어요. 하나님은 하나님의 백성이 믿음을 회복하고 하나님을 사랑하도록 격려할 지도자들을 보내 하나님의 신실하심을 보여 주셨어요. 하나님은 불순종한 하나님의 백성을 완전히 잊을 수 있었지만, 그러지 않으셨어요! 에스라가 하나님의 말씀을 읽으며 하나님께 순종하는 법을 가르칠 때, 사람들은 회개하고 하나님을 더욱 사랑하게 되었어요. 성경은 예수님이 '말씀'이라고 말해요. 예수님은 사람들과 함께 살기 위해 이 땅에 오신 하나님의 아들이세요. 예수님은 우리 마음을 변화시킬 힘이 있어요.

하나님의 백성은 말씀을 통해 그들이 얼마나 큰 죄를 지었는지 깨달았어요. 하나님의 말씀에 불순종한 자신들의 모습을 깨닫고 슬퍼했어요. 하지만 하나님은 계속해서 은혜를 보여 주셨어요. 우리도 똑같아요. 하나님의 율법에 순종하기 위해 아무리 최선을 다해도 우리는 하나님께 온전히 순종할 수 없어요. 그래서 우리는 예수님이 필요해요. 예수님은 완전한 삶을 사셨고, 하나님께 온전히 순종하셨어요. 우리가 예수님을 믿을 때 하나님은 우리가 전혀 죄를 짓지 않았을 뿐 아니라 항상 순종했던 것처럼 여기세요.

**복/습/질/문**

1 에스라는 얼마나 오랫동안 율법책을 읽었나요?

새벽부터 정오까지 (느 8:3)

2 하나님의 말씀을 읽자 사람들은 어떻게 했나요?

몸을 굽혀 얼굴을 땅에 대고 하나님을 경배하며 울었다 (느 8:6, 9)

3 에스라는 우는 사람들에게 무엇이라고 말했나요?

울거나 슬퍼하지 말고 좋은 음식을 먹고 단 음료를 마시며 축하하라고 말했다 (느 8:9~10)

4 사람들은 왜 기뻐했나요?

하나님의 말씀을 깨달았기 때문이다 (느 8:12)

## 복음 초청

성경과 63쪽 복음 초청 가이드를 이용해서 아이들에게 그리스도인이 되는 법을 설명해 준다. 따로 상담해 줄 사람을 정해 주고 궁금한 점이 있으면 물어보도록 격려한다.

이 시간 예수님을 마음에 모시고 싶은 친구는 함께 기도해요.

## 기도

하나님, 말씀을 통해 하나님의 신실하심을 보여 주셔서 감사합니다. 아무리 애를 써도 죄에서 벗어날 수 없는 우리를 구원하기 위해 예수님을 보내 주셔서 감사합니다. 하나님의 백성이 말씀을 통해 자신의 죄를 깨닫고 하나님을 더 사랑하게 되었듯이, 우리도 말씀을 통해 하나님을 더 알아가게 해 주세요. 예수님의 이름으로 기도합니다. 아멘.

## 적용

TIP 설교 도입이나 적용으로 활용하거나 영상을 본 뒤 소그룹으로 나누어 풍성한 대화를 이어 갈 수 있습니다.

**에스라가 하나님의 말씀을 읽자, 백성은 그들의 잘못을 깨달았어요.** 하나님께 순종하려면 하나님의 말씀을 알아야 했어요. 여러분은 알지 못하는 규칙을 지킬 수 있나요? 영상을 보면서 한번 생각해 보세요.

DVD 적용 예화 영상(지도자용 팩)을 보여 준다.

지시를 잘 듣는 것은 왜 중요한가요? 어떻게 하면 잘 살 수 있는지 비결을 알려 주는 책이 있다면 누구나 읽을 거예요. 하나님이 주신 말씀은 그것보다 더 좋은 소식을 전해준답니다. 우리는 하나님의 말씀을 읽음으로써 하나님이 어떤 분이신지 알고 하나님께 순종할 수 있어요. 하나님은 하나뿐인 아들 예수님을 이 땅에 보내 하나님이 어떤 분이신지 알게 하셨어요. 예수님은 하나님의 말씀이에요. 하나님의 말씀을 알면 하나님께 어떻게 순종할지 알 수 있어요.

# 가스펠 소그룹
(10~20분)

## 나침반

### 단어를 쏙쏙

**준비물** 2단원 암송(109쪽), 화이트보드, 보드마커

① 아이들과 2단원 암송 구절을 큰 소리로 읽는다.

② 화이트보드에 암송 구절을 쓰고, 핵심 단어 1~2개를 빈칸으로 남겨 둔다.

③ 아이들에게 빈칸에 들어갈 단어를 기억하면서 암송 구절을 읽어 보라고 한다.

④ 단어를 몇 개 더 지우고 다시 읽게 한다.

⑤ 이번에는 단어 몇 개만 남기고 모두 지운다. 원하는 아이들에게 한 명씩 암송 구절을 읽어 보라고 한다.

— 하나님의 말씀은 축복이자 선물이에요! 성경은 하나님에 관한 진리를 들려주어요. 성경 말씀을 외우면 이 진리들을 언제든 기억할 수 있어요.

## 보물 지도

### 퀴즈! 퀴즈!

**준비물** 성경, 화이트보드, 보드마커

① 아이들에게 성경에서 느헤미야 8장 1~12절을 찾으라고 한다.

② 화이트보드에 틱택톡 게임판(#)을 크게 그린다.

③ 아이들을 2팀으로 나누고, 각 팀에 복습 질문을 한다.

④ 정답을 맞힐 때마다 게임판을 한 칸씩 채울 수 있다.

⑤ 먼저 3칸을 나란히 채운 팀이 이긴다.

**1** 느헤미야는 모두 몇 장인가요? 13장

**2** 느헤미야는 성경 어디에 있나요? 구약

**3** 느헤미야 앞에는 어느 책이 있나요? 에스라

**4** 느헤미야 뒤에는 어느 책이 있나요? 에스더

**5** 유다 사람들을 포로로 잡아간 나라는 어디인가요? 바벨론 (느 7:6)

**6** 이스라엘 백성은 하나님의 율법을 듣기 위해 어디에 모였나요? 성문 앞 광장 (느 8:1)

**7** 사람들에게 하나님의 말씀을 읽어 준 사람은 누구인가요?
에스라 (느 8:1)

**8** 사람들은 하나님의 율법을 듣고 어떻게 했나요?
슬퍼하며 울었다 (느 8:9)

**9** 에스라와 느헤미야는 사람들에게 어떻게 하라고 했나요?
슬퍼하지 말고 기뻐하라고 말했다 (느 8:9)

**10** 유다 사람들은 무엇 때문에 기뻤나요?
하나님 말씀을 깨달았기 때문이다 (느 8:12)

**11 하나님은 약속을 지키시나요?**
**신실하신 하나님은 언제나 약속을 지키세요.**

## 탐험하기

### 말씀 수레바퀴

**준비물** 학생용 교재 40쪽, 연필

① 지시에 따라 수레바퀴 속의 글자를 읽으라고 한다.

② 빈칸에 알맞은 말을 넣어 문장을 완성해 보라고 한다.

③ 완성한 문장을 함께 큰 소리로 읽는다.

에스라는 [이][스][라][엘] [백][성]에게
하나님께 어떻게 [순][종]할지를
[가][르][쳐] [주][기] [위][해]
[하][나][님][의] [말][씀]을 읽었어요.

— 하나님의 말씀에는 강한 힘이 있어요. 에스라가 하나님의 말씀을 읽자 사람들은 자신들의 잘못을 뉘우치고 하나님을 더욱 사랑하게 되었어요. 성경은 예수님이 '말씀'이라고 말해요. 예수님은 사람들과 함께 살기 위해 이 땅에 오신 하나님이세요. 예수님은 우리 마음을 변화시킬 힘이 있어요.

### 성경에 숨겨진 보물

준비물 학생용 교재 41쪽, 연필

① 각각의 말씀에 해당하는 장절을 성경에서 찾아 선으로 연결해 보라고 한다.

② '나를 위한 하나님의 계획'은 무엇인지 찾아보라고 한다.

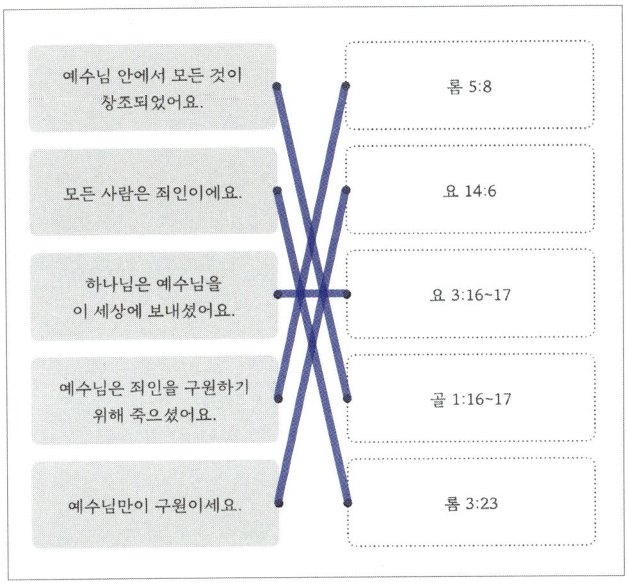


— 성경은 하나님이 우리에게 주신 진리로 가득해요. **에스라가 하나님의 말씀을 읽자, 백성은 그들의 잘못을 깨달았어요.** 하나님의 말씀은 선물이에요. 성경은 하나님과 우리에 관한 진리를 알도록 도와주어요. 말씀을 주셔서 감사합니다. 하나님!

### 성경 책갈피 *

DVD 준비물 성경 책갈피(지도자용 팩), 성경, 색연필, 구멍 뚫는 펀치, 15㎝ 길이의 끈, 가위, 블록, 마분지, 가위, 코팅지

① 아이들에게 책갈피를 하나씩 나누어 주고, 색연필로 꾸미게 한다.

② 좋아하는 성경 구절을 찾아 책갈피에 옮겨 적으라고 한다.

③ 책갈피의 다른 면에 2단원 암송 구절인 예레미야애가 3장 22~23절을 옮겨 적으라고 한다.

④ 책갈피 앞뒤에 코팅지를 붙이고, 책갈피 맨 위에 구멍을 뚫어 짧은 끈을 묶으라고 한다.

⑤ 아이들에게 책갈피를 성경 안에 끼우고 말씀을 읽을 때 활용하라고 한다.

— 책갈피가 정말 멋져요! 성경을 어디까지 읽었는지 표시하는 데 도움이 될 거예요. 하나님의 말씀은 정말 놀라워요. **에스라가 하나님의 말씀을 읽자, 백성은 그들의 잘못을 깨달았어요.** 하나님의 말씀에는 힘이 있어요. 에스라가 하나님의 말씀을 읽자 사람들은 자신의 잘못을 회개하고 하나님을 더욱 사랑하게 되었어요. 성경은 예수님이 '말씀'이라고 말해요. 예수님은 사람들과 함께 살기 위해 이 땅에 오셨고, 예수님은 우리 마음을 변화시킬 힘이 있어요. 하나님은 아들이신 예수님을 통해 사람들을 죄에서 구원하세요. 예수님을 믿을 때 하나님은 우리 죄를 용서하시고 새 생명을 주세요.

## 보물 상자

### 나만의 기록장

준비물 학생용 교재 42쪽, 연필

① 하나님의 말씀이 유익하다는 사실을 알 수 있는 방법 3가지를 써 보라고 한다.

② 아이들의 생각을 나누어 보게 한다.

— 하나님은 하나님이 어떤 분인지 가르치고, 어려운 일을 겪을 때 위로하기 위해 우리에게 말씀을 주셨어요. 하나님은 말씀을 통해 자신을 드러내세요. 그리고 우리에게 예수님이 필요하다는 사실도 알려 주세요!

### 메시지 카드

이번 주 메시지 카드로 부모님과 함께 오늘 배운 성경 이야기를 나누어 보라고 한다.

### 기도

하나님, 하나님의 말씀을 주셔서 감사합니다. 하나님에 관해 더 알고 싶습니다. 이번 한 주 하나님의 말씀을 가까이할 수 있게 도와주세요. 성경을 읽을 때마다 잘 이해하고, 하나님을 더 알 수 있도록 도와주세요. 예수님의 이름으로 기도합니다. 아멘.

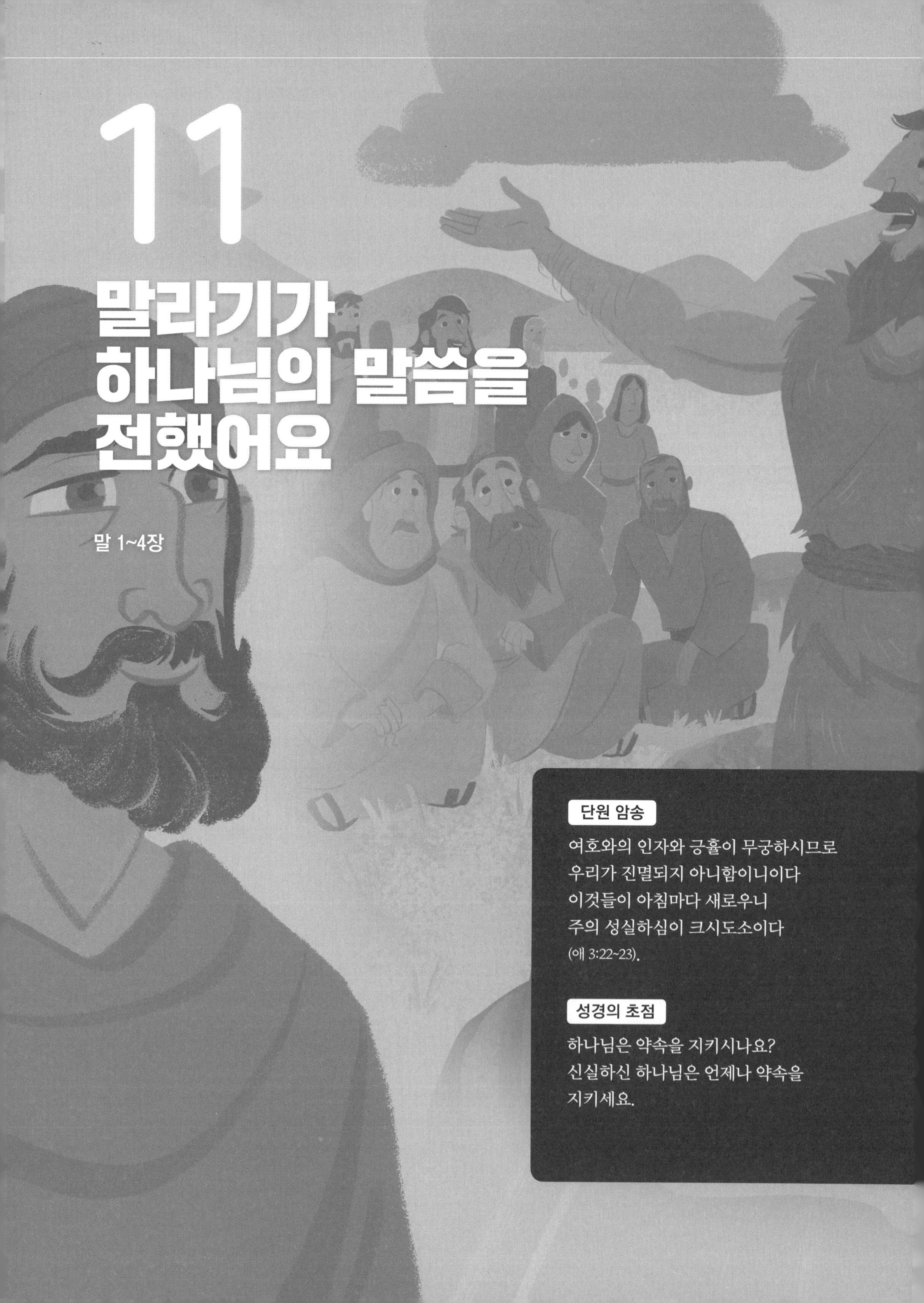

# 11

# 말라기가 하나님의 말씀을 전했어요

말 1~4장

**단원 암송**

여호와의 인자와 긍휼이 무궁하시므로
우리가 진멸되지 아니함이니이다
이것들이 아침마다 새로우니
주의 성실하심이 크시도소이다
(애 3:22~23).

**성경의 초점**

하나님은 약속을 지키시나요?
신실하신 하나님은 언제나 약속을
지키세요.

## 본문 속으로

바벨론에서 여러 해 동안 포로 생활을 하던 하나님의 백성이 유다로 돌아왔습니다. 그들은 성전과 예루살렘을 둘러싼 성벽을 다시 세우기 위해 열심히 일했고 많은 반대를 견뎌냈습니다. 사람들은 하나님이 그들을 회복시키실 것이라고 믿었습니다. 하지만 한동안 아무 일도 일어나지 않았습니다. 기다리는 동안 그들은 가뭄과 경제적인 불안을 겪었습니다. 하나님의 백성은 아마도 하나님의 축복을 전혀 느끼지 못했을지도 모릅니다.

그들은 "하나님을 섬기는 것이 헛되니 만군의 여호와 앞에서 그 명령을 지키며 슬프게 행하는 것이 무엇이 유익하리요(말 3:14)"라고 말했습니다. 그들은 하나님의 돌보심을 의심했습니다. 그들은 오래지 않아 우상 숭배, 탐욕, 위선, 오만 그리고 가난한 사람을 학대하는 등 포로 생활의 원인이 되었던 죄에 다시 빠져들었습니다. 하지만 하나님은 하나님의 백성을 계속 사랑하셨습니다. 그들을 포기하지 않고 거룩한 구원 계획을 이루어 가셨습니다.

하나님은 말라기 선지자를 통해 하나님의 백성에게 말씀하셨습니다. 말라기는 구약 시대의 마지막 선지자로 바벨론 포로 생활이 끝난 지 100년 가까이 지났을 때 하나님의 백성에게 하나님의 말씀을 전했습니다. 하나님은 말라기를 통해 백성에게 경고하셨습니다.

하나님은 백성이 축복받지 못하는 것은 하나님이 돌보시지 않아서가 아니라고 말씀하셨습니다. 하나님은 하나님 백성의 죄악을 드러내시면서 그들의 행동이 저주받을 만했다는 점을 분명히 밝히셨습니다. 하나님의 백성은 뉘우치고 하나님께 돌아가야 했습니다. "내 이름을 경외하는 너희에게는 공의로운 해가 떠올라서 치료하는 광선을 비추리니(말 4:2)"라고 하나님은 말씀하셨습니다.

### 티칭 포인트

말라기의 예언 이후 400년 동안 하나님이 침묵하셨다고 아이들에게 설명해 주십시오. 하나님은 하나님의 백성에게 말씀하지 않으셨습니다. 이 시기가 지나고 예수님이 오시기 직전, 선지자인 세례 요한이 침묵을 깨면서 신약이 시작됩니다. 세례 요한이 예수님을 향해 "보라 세상 죄를 지고 가는 하나님의 어린 양이로다(요 1:29)"라고 한 말은 듣는 사람 모두에게 희망을 주었습니다.

**주 제**

말라기는 타락한 하나님의 백성에게 회개하라고 경고하며 예수님이 오실 것이라고 예언했어요.

**가스펠 링크**

말라기는 하나님이 보내실 심부름꾼에 관해 말했어요. 이 심부름꾼인 세례 요한은 사람들에게 회개하고 예수 그리스도를 맞이할 준비를 하라고 외칠 거예요. 그리고 예수님은 구원이라는 좋은 소식을 전하실 거예요.

## 말라기가 하나님의 말씀을 전했어요 말 1~4장

유다 사람들은 약속된 땅으로 돌아왔고, 하나님의 축복을 받을 준비가 되어 있었어요. 백성은 하나님의 축복을 기다렸지만 아무 일도 일어나지 않았어요. 여전히 생활은 힘들었고 하나님이 그들을 정말 사랑하시는지 의심도 들었어요. 백성은 점점 하나님을 섬기는 일에 게을러졌어요.

하나님은 하나님의 백성을 사랑하셨고, 그들이 거룩해지고 하나님께 온전히 순종하기를 바라셨어요. 그래서 하나님은 말라기 선지자를 통해 백성에게 경고하셨어요. 그들의 죄에 관해 말하면서 하나님께 돌아오라고 부르셨어요.

제사장들도 하나님께 순종하지 않았어요. 백성들이 하나님을 섬기도록 인도해야 하는데 그들은 하나님께 제일 좋은 제물을 바치는 대신, 훔치거나 장애가 있거나 병든 동물들을 바쳤어요. 하나님은 그들에게 "나는 기쁘지 않다. 너희 제물을 받지 않겠다"라고 말씀하셨어요. 또한 "백성이 나를 따르도록 도와주는 것이 너희 일이다. 백성은 너희의 가르침을 따른다. 하지만 너희는 그들이 나에게서 멀어지게 만들었다. 너희는 그들에게 잘못된 것들을 가르쳤다"라고 말씀하셨어요.

하나님은 죄인을 벌주고 의인에게는 상을 줄 심판의 날이 오고 있다고 백성에게 경고하셨어요. 하나님은 "내 심부름꾼을 보내겠다. 그가 내 앞에서 길을 닦을 것이다"라고 말씀하셨어요. 그는 아주 중요한 일을 하게 될 심부름꾼이에요. 바로 하나님이 약속하신 구세주를 맞이하도록 사람들을 준비시키는 일이에요.

그다음 하나님은 사람들이 저지르는 나쁜 일들에 관해 말씀하셨어요. 하나님은 "너희는 내 것을 훔쳤다!"라고 말씀하셨어요. 사람들은 그들 재산의 일정한 몫을 하나님께 드리지 않았어요. 그들의 재산은 모두 하나님에게서 받은 선물인데 말이에요. 하나님은 "너희 재산의 10분의 1을 가져와 보아라. 그리고 내가 셀 수 없을 정도로 많은 복을 주는지 안 주는지 나를 시험해 보아라!"라고 말씀하셨어요.

어떤 사람들은 하나님에 관해 잘못된 말을 전했어요. "하나님을 섬기는 일은 쓸데없는 일이다. 제멋대로 사는 사람들이 우리보다 더 잘 산다"라고 말이에요.

하지만 하나님을 경외하는 사람들도 있었어요. 하나님은 그들을 지켜보시며 "그들은 내 소유가 될 것이다. 내가 그들을 아낄 것이다"라고 말씀하셨어요.

하나님은 "보라, 악한 사람들은 모두 멸망할 날이 반드시 올 것이다. 그러나 나를 경외하는 사람들은 외양간에서 풀려난 송아지처럼 펄쩍펄쩍 뛸 것이다"라고 말씀하셨어요.

말라기는 사람들에게 인내하라고 말했어요. 하나님은 그들을 잊지 않으세요. 하나님을 섬기고 따르면 하나님이 약속하신 대로 하나님의 백성을 구원하시는 날에 행복해질 거예요.

### ●● 가스펠 링크

말라기 선지자는 하나님의 심부름꾼으로서 백성에게 회개하라고 말했어요. 말라기는 하나님이 보내실 또 다른 심부름꾼에 관해서도 말했어요. 이 심부름꾼인 세례 요한은 사람들에게 회개하고 예수 그리스도를 맞이할 준비를 하라고 외칠 거예요. 그리고 하나님의 마지막 심부름꾼인 예수님은 구원이라는 좋은 소식을 전하실 거예요.

# 가스펠 준비
(10~20분)

## 환영

도착하는 아이들을 반갑게 맞이하고 헌금, 출석, QT 등을 확인하며 격려한다. 새 친구가 있다면 소개한다. 편안한 분위기에서 안부를 물으며 오늘의 말씀과 관련된 화제로 이야기를 나눈다. 아이들에게 이제까지 들었던 제일 좋은 소식이 무엇인지 물어본다. 자발적으로 대화에 참여하도록 이끈다.

예) "여러분이 들었던 소식 중 제일 좋은 소식은 무엇인가요?", "그 소식이 왜 그렇게 특별했나요?" 등.

— 아기가 태어났거나, 응원하는 스포츠 팀이 경기에서 이겼거나, 수학 시험에서 좋은 점수를 받은 일 등의 좋은 소식은 이미 일어난 사건들이에요. 오늘 우리는 아직 일어나지 않은 좋은 소식에 관한 이야기를 들을 거예요. 말라기 선지자는 미래에 무슨 일이 일어날지 알고 있었어요.

## 마음 열기

**명령을 전달하라! ***

① 아이들을 2팀으로 나누고, 각각 한 줄로 세운다.

② 맨 앞에 선 아이에게 따라야 할 명령을 조용히 알려 준다.

예) "오른손 높이 들고, 왼손은 이마에 대고, 빙글빙글 세 바퀴 돌아" 등.

③ 명령을 받은 아이는 다음 아이에게 귓속말로 명령을 전달하라고 한다.

④ 마지막에 명령을 전달받은 아이는 명령대로 행동하라고 한다.

⑤ 명령과 가장 일치하는 행동을 한 팀이 승리한다.

— 오늘 우리는 말라기 선지자에 관한 성경 이야기를 들을 거예요. 하나님은 말라기를 통해 하나님의 백성에게 회개하고 예수님을 맞이할 준비를 하라고 말씀하셨어요.

**배낭 싸기 ***

준비물 배낭 2개, 다양한 학용품, 상자나 바구니 2개, 포스트잇, 펜

① 학용품마다 학용품의 이름을 쓴 포스트잇을 붙이고, 상자에 넣어 둔다.

② 아이들을 2팀으로 나누고, 예배실 한쪽에 줄을 세운다.

③ 아이들 반대편 끝에 바구니를 놓아 두고, 각 팀에 배낭을 하나씩 나누어 준다.

④ 인도자가 "출발!"이라고 외치면, 한 사람씩 순서대로 달려가 바구니에서 학용품을 하나씩 가져와 배낭에 넣으라고 한다.

⑤ 바구니에 있는 모든 학용품을 먼저 배낭에 넣은 팀이 이긴다.

— 배낭을 정말 잘 쌌어요! 여러분은 아마 매일 아침 학교에 갈 준비를 하면서 책가방을 쌀 거예요. 오늘 우리는 구세주가 오실 길을 준비했던 사람들에 관한 성경 이야기를 들을 거예요.

# 가스펠 **설교**
(15~30분)

## 들어가기

준비물 **운동복, 번호판, 핀**

운동복을 입고 들어온다. 가슴에는 번호판이 붙어 있다. 간단한 스트레칭을 한다.

안녕하세요, 여러분! 드디어 철인 3종 경기가 열리는 날이에요! 몇 달 동안 이날을 위해 준비했지만, 드디어 그날이 왔다니 믿을 수가 없어요. 이렇게 힘든 경기를 준비하려면 인내심이 많이 필요해요.

인내심을 가진다는 것은 어렵고 힘들 때도 포기하지 않는다는 뜻이에요. 인내심이 필요한 어떤 일을 해본 적이 있나요? 무엇 덕분에 포기하지 않았나요? 아이들의 대답을 기다린다. 때로는 이루고자 하는 목표를 떠올리는 것이 인내심을 발휘하는 데 도움이 되어요. 철인 3종 경기를 준비하는 저의 목표는 '최선을 다하자'였어요. 훈련이 힘들 때도 있었지만 그동안의 수고를 곧 보상받을 거라고 생각해요.

예수님을 따르는 일에도 인내심이 필요해요. 하나님이 멀리 계시거나 아무 말도 하지 않으시는 듯 느껴질 때도 있을 거예요. 그럴 때조차 우리는 하나님의 약속을 기억할 수 있어요. 하나님은 언제나 우리와 함께하시고, 절대 우리를 떠나지 않으세요. 하나님은 우리를 향한 위대한 계획을 갖고 계세요. 하나님은 이 일을 완성하실 것이라고 약속하셨지만, 그 일이 하룻밤 사이에 이루어지지는 않아요. 그래서 우리는 인내심을 가져야 해요!

오늘 성경 이야기에 나오는 하나님의 백성도 인내가 필요했답니다.

## 연대표

연대표에서 지난 성경 이야기들을 가리킨다. 우리는 하나님의 백성이 70년 동안의 포로 생활을 마치고 어떻게 예루살렘으로 돌아왔는지에 관해 들었어요. 느헤미야는 성벽을 다시 세우도록 도왔고, 에스라는 하나님의 말씀을 읽어 주었어요. 이스라엘 백성은 하나님이 약속하신 복을 기다렸지만, 그 일은 금방 일어나지 않았어요. 그들은 실망했어요. 하나님은 과연 그들을 잊어버리셨을까요? 연대표에서 오늘의 성경 이야기를 가리킨다. 오늘 성경 이야기를 들으면 알게 될 거예요.

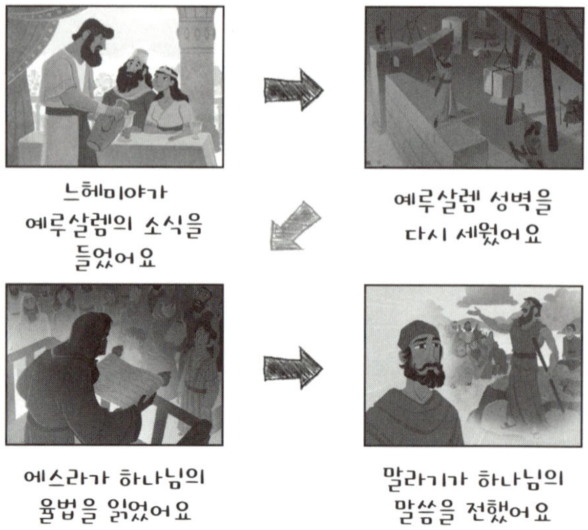


## 성경의 초점

지난 몇 주 동안 배운 '성경의 초점'을 기억하지요? **하나님은 약속을 지키시나요? 신실하신 하나님은 언제나 약속을 지키세요.** 오늘 우리는 성경 이야기를 통해 하나님의 백성이 어떻게 하나님께 충실하지 않았는지 들을 거예요. 그들은 하나님을 예배하는 일을 게을리했지만 하나님은 그들을 버리지 않으셨어요. 하나님이 하나님의 백성에게 어떻게 신실하셨는지 성경 이야기에 귀 기울여 보세요.

## 성경 이야기

DVD 말라기 1~4장을 펴고, 설교 영상(지도자용 팩)을 보여 주거나 이야기 성경을 들려준다.

이스라엘 사람들은 더 인내해야 했던 것 같아요. 그렇지 않나요? 그들의 삶은 힘들고 고통스러웠어요. 수십 년 동안 포로 생활을 하고 드디어 고향에 돌아왔지만, 상황은 더 어려워졌어요. 그들은 하나님의 복을 기다렸지만, 아무 일도 일어나지 않았지요.

하나님이 침묵하신다고 느꼈던 적이 있나요? 그럴 때 하나님을 예배하기가 힘들었나요? 하지만 하나님이 침묵하시는 것 같을 때에도 하나님은 여전히 우리와 함께하세요. **하나님은 약속을 지키시나요? 신실하신 하나님은 언제나 약속을 지키세요.** 하나님은 사람들을 구원할 구세주를 보내겠다고 약속하셨어요.

말라기 선지자는 하나님의 심부름꾼이었어요. 하나님은 말라기를 통해 하나님의 백성에게 회개하고 예수님을 맞이할 준비를 하라고 말씀하셨어요. 말라기는 또한 하나님이 보내실 또 다른 심부름꾼에 관해서도 이야기했어요. 그는 바로 세례 요한이에요. 그는 사람들에게 회개하고 예수 그리스도를 맞이할 준비를 하라고 외칠 거예요. 그리고 예수님은 구원이라는 좋은 소식을 전하실 거예요.

말라기서는 구약성경의 마지막 책이에요. 말라기 이후 사람들은 400년 동안 하나님 말씀을 듣지 못했어요. 사람들이 어떻게 느꼈을지 상상할 수 있나요? 그들은 아마 하나님이 그들을 버렸다고 생각했을 거예요. 하지만 하나님이 멀리 계신 것처럼 느껴지더라도, 하나님은 여전히 그의 백성을 사랑하세요. 하나님은 태초부터 가지고 있던 계획을 기억하고 계셨고, 이스라엘과 이 세상의 모든 사람을 위해 구세주를 보내겠다는 약속을 지키셨어요.

### 복/습/질/문

1 유다 백성은 어떻게 하나님을 예배했나요?

제사장들은 최고의 동물이 아니라 훔치고, 절뚝거리고, 병든 동물들을 하나님께 제물로 바쳤다 (말 1:13)

2 하나님은 누구를 보내려고 하셨나요? 그 전에 누가 먼저 오나요?

하나님은 구세주를 보내실 계획이었지만, 먼저 길을 준비할 심부름꾼(사자)을 보내겠다고 하셨다 (말 3:1)

3 아낌없이 드린다면 하나님이 어떻게 하겠다고 약속하셨나요?

쌓을 곳이 없을 정도로 복을 주시겠다고 말씀하셨다 (말 3:10~12)

4 하나님은 올바른 사람들이 무엇처럼 보일 것이라고 말씀하셨나요?

즐겁게 뛰노는 송아지 (말 4:2)

## 복음 초청

성경과 63쪽 복음 초청 가이드를 이용해서 아이들에게 그리스도인이 되는 법을 설명해 준다. 따로 상담해 줄 사람을 정해 주고 궁금한 점이 있으면 물어보도록 격려한다.

이 시간 예수님을 마음에 모시고 싶은 친구는 함께 기도해요.

## 기도

하나님, 온 마음으로 하나님을 예배할 수 있게 도와주세요. 죄를 회개하고 돌아가면 우리를 용서해 주시는 하나님을 믿습니다. 하나님과 다시 가까워질 수 있도록 우리의 죄를 대신 지고 십자가에서 죽으신 예수님의 이름으로 기도합니다. 아멘.

## 적용

TIP 설교 도입이나 적용으로 활용하거나 영상을 본 뒤 소그룹으로 나누어 풍성한 대화를 이어 갈 수 있습니다.

하나님은 말라기 선지자를 통해 하나님의 백성에게 말씀하셨어요. 죄에서 돌이켜 회개하고 예수님을 맞이할 준비를 하라고 말씀하셨어요. 누군가 나타나서 깜짝 놀랐던 적이 있나요? 영상을 보면서 한번 생각해 보세요.

DVD 적용 예화 영상(지도자용 팩)을 보여 준다.

아이들이 다음의 내용을 토론하도록 이끈다.

- 허락받지 않았는데도 아이들은 왜 위험한 다리 근처에서 놀고 싶어 했을까요? 부모님이 가까이 계시다는 사실을 안다면 그들은 놀이를 그만둘까요? 왜 그럴까요? 혹은 왜 그러지 않을까요?
- 하려고 하지 않았던 일을 해야만 했던 적이 있나요?
- 하나님은 왜 우리가 죄짓는 것을 멈추기 원하신다고 생각하나요?
- 우리가 죄에 대해 후회한다는 것을 하나님께 어떻게 보여 드리나요?

예수님이 언젠가 돌아오겠다고 약속하셨다는 사실을 아이들에게 다시 말해 준다(행 1:11 참조).

예수님은 다시 오셔서 이 세상의 나쁜 일들을 모두 심판하시고, 우리 왕이 되어 영원히 다스리실 왕국을 세우실 거예요(행 3:19~21; 계 11:15 참조). 우리는 예수님을 맞이할 준비를 어떻게 할 수 있을까요? **말라기는 타락한 하나님의 백성에게 회개하라고 경고하며 예수님이 오실 것이라고 예언했어요.** 우리는 예수님이 언제 오실지 정확히 알 수 없어요. 하나님은 사람들에게 너무 늦기 전에 회개하고 예수님을 믿으라고 전하기 위해 우리를 부르세요.

# 가스펠 소그룹
(10~20분)

## 나침반

### 네 등에 그 말씀

준비물 2단원 암송(109쪽), 색인 카드, 펜, 접착테이프,

① 2암송 구절을 인원수만큼 단어나 어절 단위로 나누어 색인 카드에 써 둔다.

② 아이들 등에 카드를 하나씩 붙인다.

③ 아이들에게 각자의 등에 붙은 암송 구절의 순서대로 줄을 서라고 한다. 활동하는 동안 말을 해서는 안 된다고 일러 준다.

④ 아이들이 순서를 제대로 맞췄는지 함께 확인한다.

— 지난 몇 주간 암송 구절을 정말 잘 외웠어요! 집에서도 하나님의 말씀을 계속 공부할 수 있어요. 하나님의 말씀을 더 많이 공부할수록 하나님에 관한 진리를 더 많이 기억하게 될 거예요.

## 보물 지도

### 비치볼 퀴즈

준비물 성경, 비치볼, 보드마커

① 아이들에게 말라기 1~4장을 찾아서 읽으라고 한다.

② 공기를 넣은 비치볼에 1에서 10까지 숫자를 쓴다.

③ 인도자가 한 아이에게 비치볼을 던진 후, 그 아이의 오른손 엄지가 닿은 숫자에 해당하는 질문을 한다.

④ 아이는 질문에 답을 말한 뒤, 다른 아이에게 비치볼을 던지라고 한다.

⑤ 곰을 잡은 아이가 답을 말하지 못하면, 성경의 장절을 알려 주어 답을 찾도록 도와준다.

1 구약성경의 마지막 책은 무엇인가요? 말라기

2 이스라엘 백성은 얼마나 오랫동안 포로 생활을 했나요?
70년 (렘 29:10)

3 오늘 성경 이야기에서 하나님이 이스라엘 사람들에게 보낸 선지자는 누구인가요? 말라기 (말 1:1)

4 제사장들은 어떤 동물들을 하나님께 제물로 드렸나요?
훔치고, 다리를 절거나 병든 동물 (말 1:8)

5 제사장들의 역할은 무엇이었나요? 하나님의 지식을 지키고 사람들에게 율법을 가르쳐야 했다 (말 2:7)

6 말라기가 구세주를 전하기 위해 먼저 올 것이라고 말한 심부름꾼은 누구인가요? 세례 요한 (말 3:1)

7 말라기는 여호와의 날에 하나님을 경외하는 사람들은 어떤 동물처럼 될 것이라고 말했나요? 송아지 (말 4:2)

8 하나님은 하나님의 백성에게 무엇을 하라고 했나요?
하나님께서 주신 율법을 기억하고, 회개하고 예수님을 맞이할 준비를 하라고 말씀하셨다 (말 4:4~6)

9 **하나님은 약속을 지키시나요?**
**신실하신 하나님은 언제나 약속을 지키세요.**

— 말라기는 구약 시대의 마지막 선지자였어요. 하나님은 말라기를 통해 하나님의 백성에게 말씀하신 후 400년 동안 침묵하셨어요! 그렇게 오랫동안 누군가로부터 소식을 듣지 않았다니, 상상할 수 있나요? 하지만 하나님의 백성은 하나님의 약속을 잊지 않았어요. 그들은 하나님의 신실하심을 믿었어요. **하나님은 약속을 지키시나요? 신실하신 하나님은 언제나 약속을 지키세요.** 400년 후 하나님은 한 사람에게 요한이라는 아들을 낳게 될 것이라고 말씀하셨어요. 사람들이 예수님을 맞이하도록 준비시키는 것이 세례 요한의 역할이었어요.

## 탐험하기

### 나는 누구일까요?

준비물 학생용 교재 44쪽, 연필

① 아이들에게 질문의 답을 빈칸에 적으라고 한다.

② 동그라미에 들어가는 글자들을 조합해 말라기 선지자가 누구에

관해 말하고 있는지 맞혀 보라고 한다.

— 말라기는 선지자였어요. 그는 사람들이 구세주를 맞이할 준비를 할 수 있도록 하나님이 심부름꾼을 보내실 것이라고 예언했어요. 그 심부름꾼의 이름은 요한이에요. **말라기는 타락한 하나님의 백성에게 회개하라고 경고하며 예수님이 오실 것이라고 예언했어요.**

### 뒤죽박죽 심부름꾼

준비물 학생용 교재 45쪽, 연필

① 세 사람의 이름이 뒤죽박죽 섞여 있다고 말해 준다.

② 각 인물의 설명을 잘 읽고, 자음과 모음을 조합해 이름을 맞혀 보라고 한다.

— 하나님은 끊임없이 하나님의 백성에게 심부름꾼을 보내 말씀을 전하셨어요. 말라기 선지자는 하나님이 보내실 심부름꾼에 관해서도 말했어요. 이 심부름꾼인 세례 요한은 사람들에게 회개하고 예수 그리스도를 맞이할 준비를 하라고 외칠 거예요. 그리고 하나님의 마지막 심부름꾼인 예수님은 구원이라는 좋은 소식을 전하실 거예요.

### 준비됐나요? *

준비물 알람 시계, 찬양 1곡

① 아이들을 둥글게 앉힌다.

② 1분 후에 알람이 울리도록 시계를 설정한다.

③ 아이들에게 찬양을 부르며 알람 시계를 오른쪽에 있는 아이에게 건네라고 한다.

④ 알람이 울릴 때 알람 시계를 가지고 있는 아이는 원 밖으로 나가게 한다.

⑤ 정해진 시간 안에서 놀이를 반복한다.

— **말라기는 타락한 하나님의 백성에게 회개하라고 경고하며 예수님이 오실 것이라고 예언했어요.** 그리고 하나님이 보내실 또 다른 심부름꾼인 세례 요한에 관해서도 말했어요. 세례 요한에 관해서는 신약성경을 공부하면서 더 알게 될 거예요.

## 보물 상자

### 나만의 기록장

준비물 학생용 교재 46쪽, 연필

① 하나님을 예배하는 방법들을 생각해 보라고 한다.

② 아이들에게 어떻게 하나님을 예배할지 글로 써 보라고 한다.

— 우리는 모두 각기 다른 방식으로 하나님을 예배하면서 하나님을 경험해요. 우리 각 사람을 향한 하나님의 계획이 모두 같지는 않겠지만, 하나님은 우리 모두가 하나님을 더 알고 더 사랑하기를 바라세요.

### 메시지 카드

이번 주 메시지 가드로 부모님과 함께 오늘 배운 성경 이야기를 나누어 보라고 한다.

### 기도

하나님, 사람들이 회개하고 예수님을 맞이할 준비를 할 수 있도록 심부름꾼을 보내 주셔서 감사합니다. 우리를 죄에서 구원하기 위해 예수님을 보내 주셔서 감사합니다. 이 기쁜 소식을 다른 사람들에게 전하길 원합니다. 날마다 하나님을 더 사랑하며, 최고의 것으로 하나님을 예배할 수 있도록 인도해 주세요. 예수님의 이름으로 기도합니다. 아멘.

# 어떻게 해야 하나님께 순종할 수 있나요?

하나님이 우리에게

순종할 힘을 주신다고 믿어요.

하나님은 약속을 지키시나요?

신실하신 하나님은

언제나 약속을 지키세요.

그는 때와 계절을 바꾸시며
왕들을 폐하시고 왕들을 세우시며
지혜자에게 지혜를 주시고
총명한 자에게 지식을 주시는도다

다니엘 2장 21절

여호와의 인자와 긍휼이 무궁하시므로

우리가 진멸되지 아니함이니이다

이것들이 아침마다 새로우니

주의 성실하심이 크시도소이다

예레미야애가 3장 22~23절

칼럼

# 어린이 사역: 목표 설정과 기대

**"아직 멀었어요?" 아이들을 데리고 장거리 자동차 여행을 해 본 사람은 누구나 이런 질문을 받았을 것입니다. 차에 탄 아이들은 지금 지나가는 곳에는 흥미가 없고, 기대하는 목적지에 도착하기까지 남은 시간을 견딜 만한 인내심이 금방 바닥나서 보통은 투덜거리기 일쑤입니다.**

"아직 멀었어요?"라고 물은 다음에는 대개 "얼마나 더 가요?"라고 묻습니다. 아이들이 이런 질문을 하면 어른들은 징징거린다고 해석하기 쉽지만, 사실 이런 질문에는 자신의 상황을 제대로 통제하지 못하고 여행 계획도 파악하지 못하는 아이들의 마음이 담겨 있습니다. 운전석에 앉은 어른은 얼마나 더 가야 하는지, 도착하는 데 몇 시간이나 걸리는지, 어떤 이정표들을 지나갈지 알고 있습니다. 하지만 뒷좌석에 있는 아이들은 아무것도 모릅니다. 여행에 따라나서기는 했지만 자세한 내용은 모릅니다. 그러면서도 자동차가 달리는 동안 장시간 좌석벨트를 맨 채 꼼짝 못할 뿐이지요.

사역의 운전대를 잡은 사람으로서 여러분도 비슷한 상황에 있습니다. 하지만 이번에는 아이들이 아니라 성인인 팀원들, 리더와 자원봉사자들을 태우고 있습니다. 여러분과 함께 사역을 하는 사람들은 어디로 가고 있는지, 목적지까지 얼마나 걸리는지 알고 싶어 합니다.

불행히도 많은 어린이 사역자들은 목표가 무엇인지 정리가 되어 있지 않아서, 목표에 대한 질문에 구체적이고 명확하게 대답하지 못합니다. 그들은 한 방향으로, 열정과 목적을 가지고 움직이지만, 명확하게 정의되고 입증된 목적지 없이 사역을 하는 경우가 많습니다.

어린이 사역에서 목표를 정하고 따라가는 일은 장거리 자동차 여행에서 내비게이션을 사용하는 것만큼이나 필수적입니다. 그래서 여러분이 방향을 제대로 잡을 수 있도록 몇 가지 조언을 하려고 합니다.

### 1. 마음속에 목적지를 정해 놓고 시작하십시오.

내비게이션으로 길을 찾으려면 먼저 가고 싶은 목적지의 주소를 입력해야 합니다. 사역의 목표를 정할 때도 여러분이 원하는 장기적인 성과가 무엇인지 확정한 후 시작하는 것이 좋습니다.

어린이 사역에서 장기적인 성과를 정하는 것은 사역이 끝났을 때 아이들이 갖게 되길 바라는 특정한 영적 특징을 설명하는 일일 수도 있습니다. 영적 특징을 설명할 때, 겉으로 보여지는 행동이 아닌, 그들의 마음 상태와 그들이 하나님의 뜻과 말씀과 그들을 향한 하나님의 방법에 반응하는 민감도를 바탕으로 설명하십시오. 궁극적으로 우리는 그저 바르게 행동하는 아이가 아닌, 성숙한 그리스도인으로 성장하도록 아이들을 교육해야 합니다.

### 2. 기록하고 나누십시오.

목표를 확정했다면 기록하십시오. 목표를 문서로 남기는 것은 목표가 분명하고 간결한지, 쉽게 소통되는지 확인하기 좋은 방법입니다. 다른 사람들과 목표에 대해 나누기도 수월해집니다.

어린이 사역의 목적을 공개적으로 밝히면 다른 사람들도 그 여정에 참여할 수 있게 됩니다. 또한 목적에서 벗어나지 않고 계속해 나갈 수 있는 책임감이 생깁니다.

### 3. 기간별 목표를 설정하십시오.

크고 위대하게 느껴지는 장기 목표를 확실히 이루기 위해, 중간 점검을 위한 단기 목표들을 연이어 설정하십시오. 단기 목표는 가능한 많이 만드는 것이 좋습니다. 물론 아래 소개하는 기간별 목표가 모두 필요하지 않을 수도 있습니다. 그러나 여러분의 목표를 세분화하는 것은 선포한 목적을 뒷받침하기 위해 하는 모든 일을 확신할 수 있게 도와줍니다.

<기간별 목표>

- 9년 목표—교회학교 교육과정의 체계를 잡을 수 있습니다.
- 3년 목표—일반적인 교육과정 기간과 어린이 발달단계에 따른 기간으로, 유아부터 유치원생까지, 1학년부터 3학년까지, 4학년부터 6학년까지로 나뉩니다.
- 1년 목표—한 해, 또는 각 학년의 아이들이 1년 동안 성취해야 하는 목표를 정합니다.
- 분기 목표—해당 분기에 강조하고 집중해야 하는 목표를 정합니다.
- 월간 목표—해당 월에 집중해야 하는 것이 무엇인지 설정합니다.
- 주간 목표—해당 주에 전해야 할 성경의 진리, 개념 또는 원칙을 정합니다.
- 시간 목표—매주 다양한 프로그램들이 있습니다. 각 프로그램을 진행하는 시간마다 특별한 목적을 가지고 아이들을 훈련하고, 각 시간마다 목표가 있어야 합니다.
- 부분 목표—각 시간은 성경 이야기, 예배, 학습 활동 등 작은 부분들로 나뉘어 있습니다. 선생님들은 각 부분의 목적을 이해해야 합니다.

### 4. 계획을 지키고 실행하십시오.

목표를 설정하고 전략을 확인했다면 그 계획을 고수하시기 바랍니다. 어린이 사역을 하다 보면 불안해지면서 연간, 분기, 월간 혹은 주간의 교육과정을 바꾸어야겠다고 느낄 때가 많습니다. 인터넷 커뮤니티에 "이번 달에는 무슨 교육과정을 사용하고 있나요?"라고 질문을 올리는 때도 있을 것입니다. 이런 것들은 여러분의 사역에 피해를 줍니다. 교육과정마다 가르침에 대한 기본적인 접근 방법이 다를 뿐만 아니라, 교육과정을 너무 자주 바꾸면 전체 계획을 파악하지 못하게 됩니다.

장기 목표에는 여러분이 사용하는 교재로 아이들을 어떻게 가르칠지에 관한 현명한 계획이 포함되어 있어야 합니다. 3년 기간의 연대기순 커리큘럼을 사용하면 아이들이 초등학생 어린이 부서에 있는 동안 두 차례에 걸쳐 성경을 훑을 수 있게 됩니다.

사역의 목표를 명확하게 규정하면 어떤 활동, 수단, 전략을 활용할지 혹은 피할지 평가할 멋진 시각을 가지게 됩니다.

여러분의 목표를 함께 나누면 부모님부터 자원봉사자들까지 모든 사람이 자신이 어떤 일에 참여하고 있는지 확실하게 알게 됩니다. 그리고 그 여정에 함께하는 사람들에게 계속해서 최신 정보를 제공하면 모두가 좀 더 즐거운 여행을 즐길 수 있습니다.

척 피터스(Chuck Peters)는 LifeWay Kids의 기획·관리부 디렉터입니다. 중고등, 어린이 부서에서 섬기고 있습니다.

| 1권 | 2권 | 3권 | 4권 | 5권 | 6권 |
|---|---|---|---|---|---|
| **위대한 시작**<br>창 | **하나님의 구출 계획**<br>출, 레, 신 | **약속의 땅**<br>민, 수, 삿, 룻, 삼상 | **왕국의 성립**<br>삼상, 상하, 왕상, 욥, 잠, 전, 시 | **선지자와 왕**<br>왕상, 왕하, 사, 호, 욘 욜, 렘, 대하, 겔 | **돌아온 하나님의 백성**<br>단, 스, 에, 느, 말 |
| 1단원<br>**창조의 하나님** | 1단원<br>**구출하시는 하나님** | 1단원<br>**구원의 하나님** | 1단원<br>**왕이신 하나님** | 1단원<br>**계시하시는 하나님** | 1단원<br>**보호하시는 하나님** |
| 1. 하나님이 세상을 창조하셨어요<br>2. 하나님이 사람을 창조하셨어요<br>3. 죄가 세상에 들어왔어요<br>4. 가인과 아벨이 제물을 드렸어요<br>5. 하나님이 노아와 가족을 구해 주셨어요<br>6. 바벨탑을 쌓던 사람들이 흩어졌어요 | 1. 모세를 부르셨어요<br>2. 이스라엘 백성은 재앙을 피했어요<br>3. 홍해를 건넜어요<br>4. 광야에서 시험을 치렀어요<br>5. 금송아지를 만들었어요 | 1. 약속의 땅을 정탐했어요<br>2. 놋뱀을 바라보았어요<br>3. 하나님이 여리고 성을 주셨어요<br>4. 죄 때문에 아이 성 전투에서 졌어요<br>5. 여호수아가 당부했어요 | 1. 이스라엘이 왕을 달라고 했어요<br>2. 하나님이 사울을 버리셨어요<br>3. 다윗이 골리앗과 맞섰어요<br>4. 다윗과 요나단이 친구가 되었어요<br>5. 하나님이 다윗과 언약을 맺으셨어요<br>6. 다윗이 하나님께 죄를 지었어요 | 1. 엘리야가 악한 아합을 꾸짖었어요<br>2. 엘리야가 이세벨을 피해 도망쳤어요<br>3. 하나님이 나아만을 고쳐 주셨어요<br>4. 하나님이 이사야를 부르셨어요<br>5. 이사야가 메시아에 대해 외쳤어요<br>6. 히스기야는 남 유다의 신실한 왕이었어요 | 1. 다니엘과 친구들이 하나님께 순종했어요<br>2. 사드락, 메삭, 아벳느고를 구하셨어요<br>3. 다니엘을 구하셨어요<br>4. 하나님의 백성을 고향으로 데려오셨어요<br>5. 성전을 다시 지었어요 |
| 2단원<br>**언약을 맺으시는 하나님** | 2단원<br>**거룩하신 하나님** | 2단원<br>**다스리시는 하나님** | 2단원<br>**지혜의 하나님** | 2단원<br>**포기하지 않으시는 하나님** | 2단원<br>**공급하시는 하나님** |
| 7. 하나님이 아브라함과 언약을 맺으셨어요<br>8. 하나님이 아브라함을 시험하셨어요<br>9. 하나님이 다시 약속하셨어요 | 6. 십계명 "하나님을 사랑하라"<br>7. 십계명 "이웃을 사랑하라"<br>8. 성막을 지었어요<br>9. 하나님이 제사의 규칙을 정해 주셨어요<br>10. 오직 하나님만 예배해요<br>11. 하나님의 언약을 기억해요 | 6. 사사들이 이스라엘 백성을 이끌었어요<br>7. 드보라와 바락이 노래했어요<br>8. 겁쟁이 기드온이 용사가 되었어요<br>9. 삼손에게 다시 힘을 주셨어요<br>10. 룻과 나오미를 보살펴 주셨어요<br>11. 하나님이 사무엘에게 말씀하셨어요 | 7. 솔로몬이 지혜를 구했어요<br>8. 지혜는 하나님께로부터 와요<br>9. 솔로몬이 성전을 지었어요<br>10. 이스라엘이 둘로 나뉘었어요 | 7. 하나님이 호세아를 통해 북 이스라엘에 사랑을 전하셨어요<br>8. 하나님이 요나를 통해 니느웨에 사랑을 전하셨어요<br>9. 하나님이 요엘을 통해 남 유다에 사랑을 전하셨어요 | 6. 에스더를 왕비로 세우셨어요<br>7. 에스더를 통해 하나님의 백성을 구하셨어요<br>8. 느헤미야가 예루살렘의 소식을 들었어요<br>9. 예루살렘 성벽을 다시 세웠어요<br>10. 에스라가 하나님의 율법을 읽었어요<br>11. 말라기가 하나님의 말씀을 전했어요 |
| 3단원<br>**언약을 지키시는 하나님** | | | 3단원<br>**주권자이신 하나님** | 3단원<br>**새롭게 하시는 하나님** | |
| 10. 야곱이 복을 가로챘어요<br>11. 하나님이 야곱에게 새 이름을 주셨어요<br>12. 요셉이 이집트로 팔려 갔어요<br>13. 요셉의 꿈이 이루어졌어요 | | | 11. 솔로몬이 산다는 것에 대해 생각했어요<br>12. 욥이 고난을 받았어요<br>13. 하나님을 찬양해요 | 10. 하나님이 예레미야를 부르셨어요<br>11. 예레미야가 새 언약에 대해 예언했어요<br>12. 남 유다 백성이 포로로 잡혀갔어요<br>13. 에스겔이 앞날의 소망을 이야기했어요 | |

※세부 내용은 사정에 따라 변경될 수 있습니다.

**※ 절기 교재**

| 부활절 |
|---|
| 1. 예수님의 승리의 입성<br>2.예수님이 십자가에 못박히시고 부활하셨어요 |

| 성탄절 |
|---|
| 1. 천사가 마리아와 요셉에게 말했어요<br>2. 예수님이 태어나셨어요<br>3. 박사들이 예수님을 찾아왔어요 |

## 구약6 성경의 초점과 주제

### 1단원 보호하시는 하나님

Q 어떻게 해야 하나님께 순종할 수 있나요?

A 하나님이 우리에게 순종할 힘을 주신다고 믿어요.

1. 다니엘은 하나님께 순종하기 위해 왕이 정한 음식을 먹지 않았어요.
2. 하나님은 불 속에 던져진 사드락, 메삭, 아벳느고와 함께 하셨고, 그들을 구해 주셨어요.
3. 다니엘은 하나님께 신실했고, 하나님은 그를 구하셨어요.
4. 하나님이 고레스왕의 마음을 바꾸셔서 이스라엘 백성이 고향으로 돌아오게 하셨어요.
5. 하나님은 하나님의 백성이 성전을 다시 짓도록 도우셨어요.

### 2단원 공급하시는 하나님

Q 하나님은 약속을 지키시나요?

A 신실하신 하나님은 언제나 약속을 지키세요.

6. 에스더는 자기 민족을 돕기로 했어요.
7. 하나님은 하나님의 백성을 구하기 위해 에스더를 사용하셨어요.
8. 느헤미야는 하나님의 백성이 예루살렘 성벽을 다시 세울 수 있도록 도와 달라고 하나님께 기도했어요.
9. 하나님은 느헤미야가 하나님의 백성을 이끌고 예루살렘 성벽을 다시 세우게 하셨어요.
10. 에스라가 하나님의 말씀을 읽자, 백성은 그들의 잘못을 깨달았어요.
11. 말라기는 타락한 하나님의 백성에게 회개하라고 경고하며 예수님이 오실 것이라고 예언했어요.